D0267868

Bibliotheek Slotermeer
Plein '40 - '45   nr. 1
1064 SW Amsterdam
Tel.: 020 - 613.10.67

afgeschreven

Vesna Maric

Ik moest mijn land ontvluchten

Mijn leven als oorlogsvluchteling

Vertaald door Erica Feberwee

bliotheek Slotermeer
Plein '40 - '45 nr. 1
1064 SW Amsterdam
Tel.: 020 - 613.10.67

ARENA

Oorspronkelijke titel: *Bluebird*
© Oorspronkelijke uitgave: Vesna Maric, 2009
© Nederlandse uitgave: Arena Amsterdam, 2009
© Vertaling uit het Engels: Erica Feberwee
Omslagontwerp: DPS, Amsterdam
Foto's omslag: Rafael Estefania
Typografie en zetwerk: CeevanWee, Amsterdam
ISBN 978-90-8990-088-3
NUR 302

Voor Rafael, mijn moeder
en kleine Ima

There'll be bluebirds over
The white cliffs of Dover,
Tomorrow, just you wait and see.

There'll be love and laughter
And peace ever after
Tomorrow, when the world is free.

The shepherd will tend his sheep,
The valley will bloom again
And Jimmy will go to sleep,
In his own little room again.

There'll be bluebirds over
The white cliffs of Dover,
Tomorrow, just you wait and see.

NAT BURTON

Inhoud

Goede buren

Ik herinner me dat ik naar de televisie zat te kijken, naar beelden die later legendarisch bleken te zijn. Beelden van een demonstratie in de straten van Sarajevo, waarbij de deelnemers plotseling ineendoken, als halmen die buigen in de wind. Ze keken verbijsterd om zich heen, zich afvragend wat er langs hun oren floot en wat er aan de hand was met het meisje dat zo abrupt en met zo veel geweld onderuitging. Het bleek een studente te zijn uit Dubrovnik, en ze was vanaf een van de bruggen neergeschoten door een sluipschutter, zodat haar lichaam in de schuimende, ondiepe rivier belandde die door de stad stroomt. Dat meisje was het eerste slachtoffer van de oorlog.

De sluipschutters hielden zich verborgen in het Holiday Inn, acht jaar eerder geopend ter ere van de Olympische Winterspelen van 1984. Aanvankelijk bekeken de mensen het Holiday Inn met welwillendheid en gaven het hotel de bijnaam 'het spiegelei', vanwege de gele gevel die in de winter een zonnig contrast vormde met de sneeuw. Veel mensen gingen er op zondag koffiedrinken. Het was de gewildste locatie in de stad. Tijdens de oorlog bood het hotel onderdak aan buitenlandse journalisten, die nachtenlang doorhaalden in de koude, donkere kamers terwijl ze peinsden over de zin van het leven en zich afvroegen wat ze daar deden, terwijl om hen heen de granaten insloegen en de huiverende stad verminkten. Maar daarvoor, tijdens het begin van de oorlog, zaten in diezelfde kamers de sluipschutters die op die zonnige lentedag schoten op de menigte beneden hen. Ik zag het live op de televisie, thuis in onze woonkamer in Mostar. De term 'reality-tv' bestond nog niet.

Toen we het meisje zagen neergaan, hielden we geschokt onze adem in. Mijn moeder belde meteen in paniek haar zuster, die in Sarajevo woonde. Controleren of familie en vrienden nog leefden zou een gevreesd, maar regelmatig onderdeel worden van ons leven.

Uit de radio klonk blèrend de oproep om de straat op te gaan 'Om de tirannen tot andere gedachten te brengen,' zoals de presentator zei. We demonstreerden al dagenlang. 'Goede buren', was het nieuwe motto, voortgekomen uit een vurig streven naar een multicultureel Bosnië en Herzegovina. Het was een zaak die me enorm aansprak, dus ik rende de trappen af, de straat op. Die dag was de menigte kleiner dan anders. In de heuvels klonk mitrailleurvuur. Het was een geluid dat ik nooit eerder had gehoord. Het klonk bizar, als een surrealistisch klappertanden of als het geluid van de naaimachine van een bedreven kleermaker. Het besef dat het geratel potentieel dodelijk was en niet langer iets wat hoorde bij Amerikaanse actiefilms, bezorgde ons een ongemakkelijk gevoel. We gingen die dag eerder naar huis dan anders, en vanaf die dag had niemand het meer over 'goede buren'.

Dit was echter niet mijn eerste kennismaking met de oorlog. Toen ik een paar dagen daarvoor van school naar huis liep, was de stad opgeschrikt door een geweldige explosie. Overal om me heen versplinterden ramen, er klonk geschreeuw, de grond beefde en mensen vluchtten alle kanten op. De oorlog begon letterlijk met een klap, onze wereld eindigde met hetzelfde geluid als waarmee de wereld miljoenen jaren eerder was begonnen. Ik wist niet wat ik moest doen, en in plaats van gevolg te geven aan mijn instinct en me op de grond te werpen (zoals ik dat had gezien in partizanenfilms), ging ik naar huis. Thuisgekomen klopte ik op de deur van de buurman, en samen probeerden we erachter te komen waar de explosie had plaatsgevonden. Vanaf zijn balkon keken we uit over de stad. In het noorden hingen rookwolken. 'Waar die rook vandaan komt, daar moet het noordelijke legerkamp zijn,' aldus de buurman. Ik knikte, ook al had ik geen idee waar het noordelijke legerkamp was, en of hij gelijk had.

Het was een bewolkte, warme lentedag. Sinds enkele dagen droegen we korte mouwen en dronken we onze koffie buiten. In de straten hing de geur van lindebloesem. Voor mij was dit de heerlijkste tijd van het jaar.

Ik besloot naar mijn moeders winkel te gaan, want ik was benieuwd wat er in de stad gebeurde. Overal stonden mensen in groepjes te praten. Er heerste verwarring, iedereen zei iets anders. Al lopend ving ik flarden op van gesprekken. 'Je kunt niemand vertrouwen. Iedereen liegt.' 'Ze zeggen dat het een vrachtauto met benzine was, en dat de bestuurder er nog in zat. Dat hij levend is verbrand. Maar hij had het stuur nog in zijn handen. Het moet een goede chauffeur zijn geweest.'

Onderweg ging ik bij mijn beste vriendin langs. Haar vader, meneer Dušan, zat in het leger, dus ik dacht dat hij misschien wat licht op de situatie zou kunnen werpen. Meneer Dušan was een breedgeschouderde man. Die dag leek hij zelfs nog breder dan anders. En hij maakte zich duidelijk zorgen. Hij zat aan de keukentafel, gebogen over een kruiswoordraadsel. Te oordelen naar de hoeveelheid door-halingen, had hij alles verkeerd ingevuld.

'Komt er oorlog, meneer Dušan?' vroeg ik na wat vrij-blijvend gepraat terwijl ik probeerde een ander woord voor 'olie' te bedenken.

'Nee, kindje. Nee, er komt geen oorlog. Het is een beetje een chaos, maar maak je geen zorgen. Het is niks ernstigs.' Ik vraag me nog steeds af of hij probeerde me gerust te stel-len of oprecht geloofde dat het zo'n vaart niet zou lopen.

In mijn moeders winkel werd door de klanten druk ge-speculeerd over wat er was gebeurd. Ook daar had iedereen zijn eigen verhaal. De enige zekerheid was dat er een vrachtwagen in vlammen was opgegaan, vlak bij het noor-delijke legerkamp. Het vermoeden van mijn buurman was juist geweest. Er werd gesproken over een coup van het le-ger, en sommigen zeiden dat 'de vijand' erachter zat. Ik vroeg me af wie 'de vijand' was, maar ik hield mijn mond, uit angst te worden bestookt met nog meer theorieën. Mijn moeders collega schonk koffie. Een lieve man, die later zou omkomen in een interneringskamp.

De berichten die door de media werden verspreid, wa-ren tegenstrijdig, en al spoedig werd er gesproken van 'wel-bewuste desinformatie' en hoe die het voornaamste instru-ment was bij het zaaien van angst en haat. 'Vertrouw geen enkel bericht. Desinformatie kan dodelijk zijn,' aldus de man op de radio.

De volgende morgen vroeg ging de telefoon. Het was mijn vriendin, de dochter van meneer Dušan.

'Ik mag het van mijn vader tegen niemand zeggen, maar we gaan de stad uit. Het is maar tijdelijk, zegt hij. Tot de rust is weergekeerd. Dus ik ben gauw weer terug. Maar ik moest het je vertellen.'

Ik was er kapot van. 'Dus je blijft niet lang weg. Toch zal ik je missen,' zei ik.

Toen ik had opgehangen liep ik naar het raam om naar buiten te kijken, alsof ik daar het antwoord kon vinden op de vraag of er oorlog kwam. Mijn vriendin was een van de vele Serviërs die die week de stad verlieten en nooit meer terugkwamen. Ook mijn Servische familie vertrok die week. Wij bleven achter en we demonstreerden voor de vrede, als kippen die wachtten tot de boer kwam om hun kop af te hakken.

Er trok die dag een storm over de stad. Een storm die de lucht Halloween-oranje schilderde en bomen ontwortelde. Vanachter het raam zag ik dakpannen op straat in gruzelementen vallen. Het was een prachtige storm. Toen hij was uitgewoed zeiden de mensen: 'De storm is een slecht voorteken. Er komt oorlog.' Ik vroeg me af of het feit dat mensen half maart de stad verlieten, en de explosie van de dag tevoren, de nationalistische propaganda, het groeiende wantrouwen, of dat bij elkaar geen slechte voortekenen waren. Waarom kozen de mensen de storm als symbool en brenger van de onheilsboodschap?

Toen ik 's avonds de wortels van een omgevallen eik voor onze deur inspecteerde, klonk opnieuw het geluid van een explosie, deze keer vlak bij ons huis. Vanuit een langsrijdende auto had iemand een handgranaat bij een bar naar binnen gegooid. Het hele interieur was vernield. Op straat lagen doden en gewonden, mensen schreeuwden, er klonk het gejank van sirenes van ambulances en politieauto's. Jaren later ontmoette ik iemand die in de bewuste auto had gezeten. Hij was op weg naar huis geweest, vertelde hij, toen een vriend stopte en hem een lift aanbood. 'We moeten alleen eerst nog even iets afleveren,' aldus de vriend. De man die ik sprak, zocht er niets achter. Terwijl ze door de straat reden, draaide de man op de bijrijdersstoel – iemand die mijn zegsman nooit eerder had gezien en sindsdien ook nooit meer heeft gezien – het raampje open. De auto ging langzamer rijden, de man op de bijrijdersstoel gooide iets uit het raam, de bar in, en de bestuurder gaf vol gas. Het volgende moment klonk achter hen een oorverdovende knal. Het duurde een week voordat de man die op weg was geweest naar huis, weer kon praten.

De bar was een gelegenheid waar veel reservisten van het leger kwamen. Voornamelijk oudere mannen, gewapend en in kreukelige, slecht passende, dennengroene uniformen, die in steeds grotere aantallen in de straten verschenen, en vooral in de bars. Er waren in die tijd zo veel militaire en paramilitaire organisaties dat je meestal geen idee had van welke organisatie de mannen in uniform deel uitmaakten. Ze veroorzaakten veel problemen, kwamen niet zelden dronken binnenstormen en joegen iedereen naar buiten door met hun duidelijk veelgebruikte AK-47's de muren te doorzeven met kogels.

Er waren problemen geweest – en die waren er nog steeds – in Slovenië en Kroatië, maar niemand verwachtte dat er in Bosnië een oorlog zou uitbreken. Dat was ondenkbaar. We hielden van elkaar. Ons streven was soevereiniteit, een multiculturele natie. Maar na de verkiezingen bleek dat we toch niet zo veel van elkaar hielden. Iedereen hield alleen van zichzelf en stemde op zijn eigen nationalistische partij. De media waren het allemaal met elkaar oneens, en ik besloot niet langer naar de radio te luisteren of naar het nieuws te kijken. Desinformatie zaaide immers alleen maar angst en haat.

Na de aanslag op de bar leek het mijn moeder het verstandigst om mijn zuster en mij naar Sarajevo te sturen. Dat was tenslotte de hoofdstad. Daar zou niets gebeuren, redeneerde ze. In die tijd was de gedachte dat Sarajevo veilig was een even onverklaarbare als algemene veronderstelling. Dus gingen we de volgende dag naar het station, maar eenmaal daar aangekomen bleek dat alle treinen waren uitgevallen vanwege de barricaden rond Sarajevo. Achteraf waren we het erover eens dat het een geval van goddelijke interventie was, want twee dagen later was het beleg van de stad een feit. Terwijl Sarajevo werd bestookt met granaten, vertelde mijn tante huilend door de telefoon dat de legerbasis vanwaar de granaten werden afgevuurd, op de heuvel pal boven hun huis lag. Ontsnappen was zo goed als onmogelijk, zei ze.

Ook in Mostar begonnen de beschietingen, en op een ochtend werd ik wakker van de jankende sirenes van een alarm. Een geluid dat aanzwol en wegebde, aanzwol en wegebde, als van een hond die jankt naar de maan. Mijn moeder rende schreeuwend door het huis. 'Vooruit, opstaan! Schiet op! We moeten naar de schuilkelder!' Gehaast strompelden we de trap af en vluchtten we met onze buren de donkere kelder in die tot dat moment het domein was geweest van kolen, hout en muizen. Er waren oude vrouwen die een kleine transistorradio tegen hun oor gedrukt hielden, kinderen die onbekommerd speelden, zich van niets bewust, en bezorgde moeders, onder wie Olga, een van onze buurvrouwen, die acht maanden zwanger was. Mannen liepen in en uit, druk pratend over de vraag hoe ze zich het best konden bewapenen en 'de verdediging van vrouwen en kinderen' op zich konden nemen. Jonge mannen uit de buurt, die dienst hadden genomen bij de Territoriale Defensie, een geïmproviseerde, regionale verdedigingsmacht, kwamen hun uniformen laten zien: camouflagebroeken en één helm per drie mannen.

Het verspreiden van desinformatie ging door. Nieuwe vluchtelingen in de schuilkelder kwamen voortdurend met nieuwe verhalen. 'Het leger is door de verdedigingslinies gebroken. Ze schieten op alles wat beweegt!' Of: 'In een dorp hier vlakbij zijn biologische wapens ingezet. Alle inwoners zijn omgekomen!' Dan ontstond er paniek in de schuilkelder, moeders barstten in tranen uit, vaders wrongen hun handen, en de gezichten van de oude vrouwen werden steeds grimmiger. Ze hadden het allemaal al eerder meegemaakt.

Op een rustige dag ging ik met een vriendin een kop koffie drinken in een van de weinige bars die open waren gebleven, om althans een beetje het gevoel te krijgen dat alles weer normaal was. Na de koffie besloten we een eindje te gaan wandelen, maar eenmaal op straat werden we tegengehouden. 'Waar willen jullie naartoe?' werd ons gevraagd. 'Gewoon, een stukje lopen,' zeiden we. 'Zijn jullie soms gek geworden?' Er stond pure doodsangst te lezen op de gezichten van de mensen die ons hadden tegengehouden. 'Er wordt in de hele stad gevochten! Ga naar huis!' Dat deden we, ook al was de hemel stralend blauw, met wolken als witte schuimpjes, en ook al had de lente de nieuwe blaadjes aan de bomen geschilderd in alle kleuren groen: smaragd, kikker, erwt, munt. Het park was een bron van verse zuurstof, en ik dacht aan de donkere, vochtige kelder die wachtte op mijn terugkeer.

Toen ik thuiskwam, zat mijn moeder huilend naast de

radio. 'Er was net een man op het nieuws... Hij zit met explosieven bij de grootste dam in Bosnië en dreigt die op te blazen als het leger de beschietingen van zijn stad niet staakt.' Ik zette het geluid harder. Murat, de man in kwestie, had met zijn dreigement het nationale radiostation gebeld. Dat had vervolgens contact gezocht met de toenmalige president van Bosnië en Herzegovina, Alija Izetbegović, met generaal Kukanjac, de toenmalige aanvoerder van het Joegoslavische leger in Bosnië, en met Murats zuster Fatima voor een 'live' debat. Murat beweerde dat hij honderd kilo explosieven bij zich had en dat hij de dam zou opblazen en het halve land onder water zou zetten, tenzij zijn eis werd ingewilligd. Het probleem was dat de generaal elke vorm van geweld ontkende. Iedereen wist dat hij loog, want het leger maakte zich op grote schaal schuldig aan beschietingen.

De president probeerde de woedende Murat te kalmeren. 'Doe het niet, Murat. Nog niet.'

'Hoezo, nog niet?' vroeg ik aan mijn moeder.

'Reken maar dat ik het doe! Ik blaas de hele boel op!' schreeuwde Murat. Zijn stem beefde.

Toen klonk de stem van zijn zuster uit de radio. 'Murat, denk toch aan alle mensen die verdrinken als je de dam opblaast!'

'Zeg dat maar tegen de generaal, Fatima! En zeg dat hij moet ophouden met onze stad te beschieten en onze mensen te vermoorden,' antwoordde Murat.

'Staak de beschietingen, generaal!' Fatima klonk stroef, ongemakkelijk.

De generaal bleef ontkennen. 'We beschieten helemaal niemand. Dat zijn wij niet. Het zijn anderen die dat doen. Wij zouden nooit onschuldige slachtoffers beschieten.

Misschien doen jullie mensen het zelf wel en geven ze ons de schuld.'

Dat leek mij een vindingrijke theorie, maar Murat brulde: 'Val dood, Kukanjac! Een klootzak, dat ben je! Een ongelooflijke lul!' Live op de radio!

De generaal hing op, en ik klapte in mijn handen. Het was een kleine, maar veelbetekenende klap in het gezicht van het Joegoslavische leger, uitgedeeld door het volk van Bosnië en Herzegovina. Onlangs bracht iemand Murat ter sprake, en we vroegen ons af wat er met hem was gebeurd. Het bleek dat hij helemaal geen explosieven had gehad; dat het allemaal bluf was geweest.

Die dag verlieten we de stad. Moordzuchtige granaten vlogen in sierlijke bogen door de lucht en tekenden de straten met 'asfaltrozen'. Een asfaltroos is een groot gat, omringd door concentrische cirkels van kleinere gaten. Het lijkt een beetje op een roos, maar nog meer op een soort onuitwisbaar braaksel. Asfaltrozen zijn onze souvenirs van de oorlog.

Een vriendin van mijn moeder, die bij de politie werkte, bracht ons de stad uit in een politieauto. We reden door verlaten straten. Servische soldaten en soldaten van de Territoriale Defensie (in die tijd zowel moslims als Kroaten) scholden elkaar uit via hun walkietalkies, en de politieradio onderschepte hun krakerige, slecht verstaanbare beledigingen.

'Stelletje klootzakken, we slaan jullie je islamokatholieke schedels in!'

Statische ruis.

'Njegos, jullie grootste dichter, is gestorven aan syfilis. Omdat hij schapen in hun reet neukte.'

Opnieuw statische ruis.

De auto reed de heuvel op, en het duurde niet lang of we konden de stad in de diepte zien liggen. De ontvangst van de radio werd steeds slechter en uiteindelijk viel het geluid weg.

Alsof de hele wereld veranderde

Mijn moeder had me omgekocht. Om me zonder scènes de stad uit te krijgen had ze me beloofd dat ik met een paar vriendinnen naar zee mocht. Voor het eerst alleen op vakantie! Dus ik pakte een kleine tas. 'Een week. Niet langer,' zei ze. Maar de situatie verslechterde, en onbedoeld werd mijn moeders belofte werkelijkheid. We vluchtten naar de Dalmatische kust, samen met honderden, duizenden anderen uit Bosnië en Herzegovina en die delen van Kroatië waar oorlog woedde, en onze ballingschap veranderde in een oneindig vacuüm, te vergelijken met een vreugdeloze vakantie. Ik bleef uiteindelijk zes maanden aan zee, samen met mijn zuster en mijn beste vriendin, terwijl mijn moeder op en neer reisde tussen Mostar – mijn vader was thuisgebleven – en Dalmatië. In de zomer van 1992 waren de badgasten nergens zo somber als daar, en zo mager, als gevolg van de zorgelijke omstandigheden en het voedselgebrek. Maar ook al leek de terugkeer naar huis steeds verder en verder weg, toch voelde de oorlog als iets onwezenlijks en kon ik hem niet serieus nemen. Ik twijfelde er niet aan of ik zou in september weer gewoon naar school gaan en het leven zou zijn normale loop hernemen. Zelfs de regelmatige meldingen van steeds grotere aantallen dodelijke slachtoffers – op de radio voorgelezen als een monotoon soort poëzie door een stem als die van T.S. Eliot – leken onwerkelijk.

En toen op een dag ging in het huis waar we als vluchtelingen verbleven de telefoon. We waren opgevangen door een van de plaatselijke families, die de muffe kamers en kale gangen van hun bovenverdieping ter beschikking hadden gesteld, normaliter alleen in gebruik tijdens de zomervakantie. Het gebeurde zelden dat er voor ons werd gebeld. Aan de andere kant van de lijn klonk de stem van mijn oom, duidelijk in paniek. Hij moest mijn moeder spreken. Ik moest haar onmiddellijk gaan zoeken. Er was iets verschrikkelijks gebeurd, vertelde hij. Mijn tante had op een onverlichte weg een ongeluk gekregen toen ze in het holst van de nacht had geprobeerd de stad te verlaten. Naast mijn tante hadden er nog vier mensen in de auto gezeten, maar zij was als enige gewond geraakt. Zo ernstig dat ze het misschien niet zou overleven. Zijn stem klonk verwrongen uit de grijze kunststof hoorn van de oude telefoon. Terwijl ik naar hem luisterde, draaide ik het spiraalsnoer om mijn wijsvinger zodat die blauw werd en enigszins pijnlijk, om de werkelijkheid tot me te laten doordringen en onuitwisbaar in mijn geheugen te prenten.

Ik rende de deur uit, op zoek naar mijn moeder. Die was op jacht naar onderdak voor ons, want onze gastheer en gastvrouw hadden besloten dat ze genoeg hadden van al die vluchtelingen in hun huis. Terwijl ik door de enige straat rende van het kleine dorpje aan zee, aanvankelijk boordevol energie maar uiteindelijk als een gewonde soldaat met een pijnlijk slepend been, ontdekte ik mijn eerste spatader.

Blijkbaar was mijn tante gewond aangetroffen langs de weg, ergens vlak bij haar dorp. Haar ruggengraat was op drie plaatsen gebroken. Ze was met de grootst mogelijke voorzichtigheid in een auto gelegd en naar het ziekenhuis gebracht. De doktoren, die slecht nieuws altijd op dezelfde manier komen brengen – wrijvend over hun kin, strijkend langs hun neus, hun bril oppoetsend met een zacht doekje – konden haar niet helpen, zeiden ze, en stuurden haar steeds verder weg, naar steeds grotere en betere ziekenhuizen. We reisden urenlang door verwoeste steden en dorpen, achter haar gebroken lichaam aan, van het ene ziekenhuis naar het andere, tot we haar uiteindelijk volgden naar een begraafplaats. Een deel van de reis maakten we in stoffige, stinkende treinen, terwijl in de donkere nacht alleen het wit van onze ogen zichtbaar was. En soms reisden we in bijna volledig ontmantelde auto's, met niets anders dan kale stoelen en wielen zonder rubber, die over de weg schraapten als nagels over een schoolbord. Zwijgend en ineengedoken zaten we in de metalen beesten, als nietsvermoedende, opgeslokte slachtoffers, met grote ogen en magere nekken. Tijdens onze laatste reis zat mijn moeder naast me, gewikkeld in een zwarte rouwsjaal, met een lege blik in haar rode ogen en een grimmige, sombere trek om haar ziekelijk bleke lippen.

Zelfs maanden na de dood van mijn tante bleef ik tegenover mezelf volhouden dat ze nog leefde en gewoon achter haar naaimachine zat in haar eenslaapkamerappartement in het oosten van Bosnië, even opgewekt als altijd, druk pratend en door haar halve brilletje turend. Of dat ze zat te prutsen aan haar laatste tandencreatie – ze was tandtechnicus, haar appartement lag altijd vol met rubberen mallen en kunsttanden – terwijl zachte sneeuwvlokken smolten op de ramen. Ze naaide kleren en maakte kunstgebitten voor de hele familie. Wie bij het bijten in een harde appel zijn laatste tand verloor, kon rekenen op tante Mira. Ze drukte zijn kaken in rubber en zorgde voor een nieuwe, stralende glimlach. Ik droomde ervan dat ik aardbeien plukte in de bossen bij haar huis en dacht terug aan haar beroemde ijstaart, zo heerlijk dat ik de sensatie van het ijs dat smelt op mijn tong nog kan oproepen, net als de gevoelens van ongeduld en eerbied waarmee we bij de deur van de vriezer stonden, als voor een altaar.

Toen tante Mira stierf was het alsof de hele wereld op slag veranderde. Geen familiefeesten meer zoals op de verbleekte foto's, ze zou nooit meer toeteren wanneer ze haar Renault 4, met de versnellingspook op het dashboard zoals raceauto's dat hebben, voor ons huis parkeerde. We zouden nooit meer samen naar de kust rijden, de kinderen zingend op de achterbank, reikhalzend wie als eerste de zee zag. ('Ik! Ik! Ik!'). We zouden nooit meer 's winters bij haar op bezoek gaan, nooit meer sleetje rijden, nooit meer schaatsen op de bevroren rivier.

Er waren veel mensen op de begrafenis, de zon scheen brandend op de rij rouwenden die zich langzaam voortbewoog, als een donkere slang. De vrouwen die vooropliepen jammerden, hun armen verstrengeld tot een soort guirlande, zodat je niet kon zien welke arm aan wie toebehoorde. Ze hielden elkaar stevig vast, sommigen vielen flauw van verdriet, anderen veegden hun tranen weg met kleine witte zakdoeken. Op het gezicht van mijn oma blonk een enkele traan. Ze dankte God dat we het lichaam althans waardig konden begraven, anders dan zo veel andere families van wie de lichamen van hun dierbaren nooit werden gevonden. Gezien de omstandigheden neem ik aan dat mijn grootmoeder gelijk had. We hadden op een perverse manier geluk gehad. We moesten dankbaar zijn voor het feit dat we de kans hadden gekregen mijn tantes nagedachtenis te eren. Toen de glimmend gepolitoerde kist was neergelaten in de groeve, gooiden alle familieleden er een handvol zwarte aarde op, die met een doffe dreun op de kist belandde en vervolgens langs de zijkanten weggleed.

Het was tijdens die begrafenis dat mijn moeder melding maakte van de mogelijkheid om naar Engeland te gaan, met een konvooi dat alleen vrouwen en kinderen meenam. Mijn zuster en ik moesten daar gebruik van maken, zei ze. 'En jij dan?' vroeg ik. 'Ik blijf hier,' antwoordde ze, en bij het zien van de angst en de afschuw op mijn gezicht voegde ze eraan toe: 'Het is maar voor een half jaar. Niet voorgoed, gekkie.' Die korte periode betekende nauwelijks een geruststelling voor me, want ik besefte dat tijd niets betekende, dat alles afhing van de omstandigheden. Ik wilde niet denken aan het gevaar waaraan ik zou ontsnappen, maar dat mijn moeder onder ogen zou moeten zien. De situatie thuis was afschuwelijk, ik wilde dolgraag weg. Maar als ik vertrok, was dat dan geen verraad jegens de anderen? Liet ik hen dan niet in de steek? En wat moest er van me worden? Dagen later hoorde ik de hartverscheurende bewerking van een populair liedje op de radio, een mannenstem die zong: 'Nooit zal ik deze stad verlaten. Al wat van mij is blijft hier.' Ik verkeerde in hevige tweestrijd. Moest ik mijn familie, mijn taal, mijn cultuur, mijn jeugd, mijn vrienden, alles waarmee ik onverbrekelijk was verbonden, achter me laten? Of moest ik blijven en me in de strijd storten? Moest ik misschien verpleegkundige worden? Ik kon natuurlijk ook met het konvooi meegaan en wachten tot de situatie verbeterde, terwijl ik ondertussen aan mijn Engels werkte. En dan kon ik bij terugkeer verpleegkundige worden.

Ik vraag me vaak af hoe het me zou zijn vergaan als ik in Bosnië was gebleven. Hoe mijn leven er dan zou hebben uitgezien. Alles is mogelijk. Ik had inmiddels moeder kunnen zijn en met mijn twee kinderen voor de televisie kunnen zitten. Ik had secretaresse kunnen zijn, mopperend mijn nagels vijlend met een blik op de klok. Ik had een succesvolle zakenvrouw kunnen zijn, maar ook een lijk, onder een zwarte marmeren zerk met mijn naam en mijn geboorte- en sterfdatum erop. Ik had ambtenaar kunnen zijn, of bloemenmeisje.

We namen onze intrek in het huis van mijn oma, in een klein dorpje in Herzegovina. Daar wachtten we ons vertrek af. De dagen regen zich aaneen tot weken en kropen voorbij, als blinde rupsen.

Oma

Het huis van mijn oma was een soort witte doos. Eén kamer met een laag, grijs plafond en een zolder onder het puntdak. Boven ons hoofd, tussen de tarwe en de mais die op zolder lagen opgeslagen, hoorden we muizen trippelen. Op het plafond zaten vliegen ondersteboven hun poten te wrijven. Of ze zoemden rond in concentrische cirkels en kwamen pas tot rust wanneer mijn oma 's avonds bij het naar bed gaan het licht uitdeed. Overdag zat ze met haar plastic vliegenmepper op haar bed. Zonder haar hoofd om te draaien, zelfs zonder te kijken, sloeg ze de vliegen tot moes, als een karatemeester.

Mijn oma droeg een jurk met lange mouwen en een lange rij kleine knoopjes aan de voorkant. Onder haar zwarte sjaal had ze haar grijze vlechten als krakelingen om haar oren gewonden. Soms deed ze de sjaal af, en dan keek ik toe terwijl ze haar dunne haar kamde. Sinds de dood van mijn opa, in 1980, droeg ze alleen nog maar zwarte kleren, als teken van eeuwige rouw en weduwschap, want dat werd van de vrouwen in het dorp verwacht wanneer hun man stierf. Ze woonde al zestig jaar in het kleine huis. Op de dag dat mijn opa en zij erin trokken, hadden ze de moerbeiboom geplant die nog altijd in de voortuin stond. Toen ze stierf was ze begin negentig (niemand wist precies hoe oud ze was, want niemand kon met zekerheid zeggen in welk jaar ze was geboren) en nog behoorlijk vitaal, zowel geestelijk als lichamelijk. Ze had acht kinderen, tientallen kleinkinderen en diverse achterkleinkinderen, maar tot op de dag van haar dood kende ze al hun namen.

Als goed katholiek bad ze elke dag, ook al heeft ze nooit een letter in de Bijbel gelezen. Dat weet ik omdat ze analfabeet was. Ze had echter wel een leesbril. Die gebruikte ze bij het breien. Want breien, dat kon ze geweldig – ze breide pantoffels, maar ook de gordels die franciscaner monniken om hun bruine pij dragen, de witte koorden die eruitzien als gordijnophouders. Die breide ze met acht naalden, uiterst geconcentreerd, met haar zware leesbril op het puntje van haar neus. Zelfs vlak voor haar dood waren haar ogen nog vrij goed.

Ooit heb ik een poging gedaan om mijn oma te leren lezen en schrijven. Ik moet een jaar of zeven zijn geweest en ik wilde dat ze de krant echt zou kunnen lezen, in plaats van dat ze alleen de foto's bekeek. Ik nam een potlood en een stuk papier, sloot mijn vingers om de hare, en zo begonnen we letters te schrijven. Uit het grafiet vloeide een scheve A, een dikke, bolle B, een C met een bochel. Ze probeerde het een tijdje, waarschijnlijk alleen om mij een plezier te doen, maar op een dag besloot ze dat het genoeg was geweest. Ze besefte dat het niet zomaar een gril van me was, niet iets wat me na een paar dagen zou gaan vervelen; dat ik het haar echt graag wilde leren. Ze zei: 'Het spijt me, kindje, maar ik kan het niet. Ik ben er te oud voor. Ik krijg er hoofdpijn van.'

Wanneer we daarna in het weekend naar mijn oma gingen, ving ik de vliegen die op het plafond zaten, ik trok ze hun vleugels uit, stopte ze in een lucifersdoosje en keek toe terwijl ze probeerden eruit te kruipen. Daarbij had ik mijn eigen tovermethode om ze te vangen. Een methode die alleen werkte bij vliegen die op het plafond zaten. Ik vulde een glas voor de helft met water, goot er een beetje olijfolie op en drukte het glas tegen het plafond, om de vlieg heen. Aangetrokken door de geur van de olie dook die gretig in de vloeistof.

Volgens mijn moeder was mijn oma erg streng en vond ze het niet goed dat haar dochters uitgingen. Als jongste van acht kinderen had mijn moeder nooit echt het gevoel gehad dat ze bij oma terecht kon met haar problemen. Toen ze eens met een jongen uit het dorp had afgesproken en in een korte rok op stap wilde, kwam mijn oma met een stok achter haar aan en sloeg haar op haar blote benen. Waar die jongen bij was! Logisch dat ze nooit meer met hem uit is geweest. Mijn moeder was een tiener in de jaren zestig en een jonge vrouw in de jaren zeventig, toen vrouwen werden geacht bevrijd te zijn. Maar die bevrijding ging aan het dorp van mijn moeder voorbij. Daarom vertrok ze naar de grote stad, op zoek naar werk en bevrijding.

Opa was heel anders. Die gaf mijn moeder altijd geld en liet haar uitgaan zo veel als ze wilde. Ik zie hem nog zitten, voor het raam, uitkijkend over de weg, met een zwarte baret op. Hij rookte tabak die hij zelf verbouwde. Toen ik heel klein was stond ik 's morgens altijd samen met hem op, en dan gingen we al heel vroeg naar buiten om de droge tabaksbladeren van de grond te rapen die zich koesterden in de zon. We regen ze met een roestige naald en een dikke draad tot slingers en hingen die te drogen tegen de muur. De bladeren hadden een muffe, zoete geur.

Wanneer oma bad, deed ze dat fluisterend. Ondertussen gleden haar vingers tastend over de kralen van haar rozenkrans. Tijdens haar gebed liet ze zich niet onderbreken. Ik heb het diverse keren geprobeerd. Dan vroeg ik haar iets, of ik vertelde een mop of een zielig verhaal, maar ze negeerde me gewoon. Soms onderbrak ze zichzelf, dan zweeg ze, spuugde in haar zakdoek, en hervatte haar bijna geluidloze gemompel, met af en toe een wrijfklank als uitschieter.

Toen de oorlog begon, was het voor mijn oma de derde keer dat ze dat meemaakte. Ze was geboren rond 1912 en opgegroeid tijdens de Eerste Wereldoorlog. Tijdens de Tweede Wereldoorlog was ze al getrouwd en woonde ze met opa en hun kinderen in het kleine huis. In de oorlog begroef mijn opa de naaimachine, zodat die niet zou worden gestolen. Door partizanen, Duitsers of door wie dan ook. In 1945 groef hij hem weer op, in perfecte staat. Er werd nog jaren over gepraat. Mijn oma wees mc altijd op de strijdkreet die partizanen met rode verf op de voorgevel van het huis hadden gekalkt: VRIJHEID VOOR IEDER-EEN. Inmiddels is hij niet meer te zien, want de muur is wit gepleisterd, maar als het regent schijnen de rode letters nog door de witkalk heen.

In de lente van 1992 was mijn oma al vijftig jaar lang het dorp niet meer uit geweest, behalve de twee keer dat ze ons een paar dagen had opgezocht in Mostar. Het gerucht ging dat er een invasie dreigde en het hele dorp zou tijdelijk worden geëvacueerd naar de kust. Maar mijn oma weigerde te gaan. Elke keer dat ze haar huis langer dan een dag of twee had verlaten, was ze ziek geworden, protesteerde ze. Mijn moeder zei echter dat het maar voor korte tijd zou zijn, dat ze spoedig zou kunnen terugkeren naar haar huis en dat het gevaarlijk was om achter te blijven. Oma zwichtte en reisde mijn moeder, mijn zusje en mij achterna. Eenmaal aan de kust werd ze ondergebracht in een hotel, dat voor een deel was omgebouwd tot een provisorisch bejaardentehuis. De nieuwe bewoners waren afkomstig uit verschillende dorpen. Omdat ze hun dagelijkse bezigheden misten, konden ze nauwelijks genieten van hun verblijf aan zee. We maakten altijd grapjes wanneer we naar mijn oma gingen. 'Maar oma! Dit is toch geweldig! Je bent voor het eerst echt op vakantie! Je zit in een hotel, met het strand voor de deur, en je hoeft niks te doen, alleen maar elke dag pootjebaden!' Dan stak ze lusteloos haar hand op, zuchtte en bleef met vochtige ogen uit het raam kijken. De hotelkamer maakte haar ziek. Dat begon al op de dag dat ze arriveerde. 'Ik ben hier nu een maand, en al die tijd is er niets gebeurd in het dorp. Ik wil naar huis,' hield ze vol.

Op een dag ging het alarm in het kleine stadje aan zee, en alle oude mensen in het hotel moesten naar beneden, de schuilkelder in. Er ontstond verwarring op de trappen, looprekken werden vergeten, gebitten bleven achter op nachtkastjes, dobberend in een glas water. Toen het alarm zweeg wisten de oudjes niet meer hoe ze terug moesten naar hun kamer. Ze hadden geen idee van hun kamernummer of van de verdieping waarop ze zaten. De trappen raakten verstopt, en met hun gerimpelde handen krampachtig om de leuning geklemd, hun ogen groot van schrik achter hun dikke brillenglazen, keken ze elkaar vragend aan. Daarmee was voor mijn oma de maat vol. Ze dreigde dat ze het niet zou overleven als we haar niet naar huis terugbrachten. Haar toestand verslechterde, ze kwam niet meer van bed en mijn moeder, bang dat oma van pure nijd zou sterven, bracht haar terug naar haar dorp. Eenmaal daar knapte ze onmiddellijk op.

Kort daarop gingen we bij haar logeren. Mijn herinneringen aan de maanden tussen haar historische 'Ja' en haar terugkeer zijn wazig, alsof er een laag stof op mijn inwendige lens zit. De lucht in de kamer van mijn oma, ergens op de zo veelste verdieping van het hotel, is in mijn herinnering een soort bleek okergeel, mijn moeder en ik hadden een rat als huisdier en ons enige vermaak kwam van een zwart-wittelevisie die het regelmatig liet afweten. Ik ging volledig op in de even onwaarschijnlijke als onbeduidende verwikkelingen van de soapseries waar ik naar keek, om er niet aan te hoeven denken dat ik binnenkort zou vertrekken en afscheid zou moeten nemen van mijn jeugd. Mijn leven zou voorgoed veranderen en nooit meer hetzelfde zijn, maar zolang het nog kon, hield ik mezelf voor de gek en weigerde ik dat onder ogen te zien.

Het konvooi

We vertrokken op een hete ochtend in september, na een nacht waarin we amper een oog hadden dichtgedaan. Op de kade langs de kust stond een groep van zo'n zeventig, tachtig mensen, voornamelijk vrouwen en kinderen, omringd door een zee van koffers. Twee bussen zouden de groep naar Engeland brengen. De meeste mannen die bij de bussen stonden, waren daar om afscheid te nemen van hun vrouw, maar een enkeling had zich aan de dienstplicht weten te onttrekken zodat hij zijn vrouw kon vergezellen. Mijn zus en ik stonden bij onze moeder, die erg van streek was door het naderende afscheid, en staarden naar de speelse rimpelingen van de Adriatische Zee. Bij de twee dubbeldekkers liepen de Britten druk heen en weer, al een beetje verbrand door de herfstzon. Ze waren gekomen om ons weg te halen uit de stoffige, oude stadjes waar de situatie er de laatste tijd niet beter op was geworden.

De reis was georganiseerd door Dragan, via een hulpinstantie voor kinderen, in samenwerking met Peter, een Engelsman uit het noorden van het land. Vóór de oorlog werkte Dragan in een staalfabriek, nu had hij de leiding over onze groep. Hij was de 'manager', zoals hij ons duidelijk maakte. We wisten geen van allen precies waar we heen gingen. Het enige wat Dragan ons had gezegd, was dat we ons niet te opvallend mochten kleden. Sterker nog, we moesten proberen er zo armoedig mogelijk uit te zien. De groep die ons was voorgegaan, was veel te netjes gekleed geweest, aldus Dragan. De Britten hadden geklaagd dat ze er niet uitzagen als echte vluchtelingen. 'Ze waren gekleed alsof ze naar een bruiloft gingen!' had Dragan een week eerder door de telefoon tegen mijn moeder gezegd. Ik stelde me mijn ijdele landgenoten voor die, gehuld in de laatste Italiaanse mode, in veiligheid werden gebracht, met hun zorgvuldig opgebrachte lippenstift en oogschaduw als wapenrusting.

De Britten hadden – en dat was begrijpelijk – iets anders verwacht: mensen wier gezichten waren getekend door leed en ontberingen, gehuld in gescheurde, gekreukte kleren, de ogen van de kinderen rood van het huilen. Dragan liep tussen de groep door en inspecteerde zorgvuldig ieders uitmonstering. Met een blik van weerzin op zijn gezicht controleerde hij de kwaliteit van overhemden, rokken, broeken. Blijkbaar voldeden we bij lange na niet aan de eisen. Maar het onuitgesproken motto van deze Bosnische moeders was: we mogen dan vluchtelingen zijn, we weigeren met onze ellende te koop te lopen. Het minste wat we kunnen doen, is zorgen dat we er fatsoenlijk uitzien. Ik begreep hen maar al te goed. Want het viel niet mee om plotseling als vluchteling door het leven te gaan.

Zelf had ik ook met het idee geworsteld. Mijn leven lang was ik gewoon mezelf geweest, lid van een familie, beoordeeld op mijn sproeten of mijn uitgekookte familieleden. Maar niemand had ooit eerder gevonden dat ik te beklagen was, tot het woord 'vluchteling' was gevallen. Ik was pas zestien en ik had geen mening over vluchtelingen, wist niet wat het betekende om er een te zijn. Wat ik wel wist, was dat ik op het punt stond een 'buitenlander' te worden.

En dat mijn hele leven ging veranderen.

Toen was het moment aangebroken waarop mijn zus en ik de bus in moesten. Een moment dat nog steeds te pijnlijk is om aan terug te denken. Tranen stroomden als rivieren over het gezicht van mijn moeder, het smerige raam van de bus tussen ons in als een symbool voor de scheiding. Misschien rook het in de bus naar Engeland, maar ik kon alleen maar denken dat ik mijn moeder misschien nooit meer zou zien, of dat ik nooit meer de Adriatische Zee zou ruiken die als achtergrond diende van haar krullen. De motor gromde, alsof hij de koestering van de zon niet wilde opgeven.

De kinderen in de bus maakten posters met: 'Wij zijn de vluchtelingen uit Bosnië!', 'Bosnië en Herzegovina ❤ Engeland!' en 'Wij ❤ Penrith!' Ik vroeg de kinderen of ze wisten waar Penrith lag. Nee, dat wisten ze niet, zeiden ze, en ze gingen door met het maken van een tekening van een bus die moest lijken op de bus waarin we zaten, de vingers waarmee ze het witte papier vasthielden onder de rode, groene en blauwe viltstiftvlekken. Ik staarde naar het asfalt dat zich voor ons uitstrekte, krampachtig proberend niet te kijken naar alles waar ik tranen van in mijn ogen zou krijgen: bomen, bergen, de zee.

Dragan en de vrouw die nooit haar huis verliet

Dragan was bedrijfsleider geweest in een fabriek, maar hij was ook amateurdichter. Er hing permanent een sigaret in zijn mondhoek, waarvan de as op zijn schoenen en zijn trui viel. Van die truien had hij een hele verzameling, stuk voor stuk met een V-hals en een wiebertjespatroon. Zijn donkere borsthaar piepte uit de V hals, alsof het nieuwsgierig was naar de wereld. Het haar op zijn hoofd had hij over zijn eivormige schedel gekamd, en door zijn gelige rokershuid leek het alsof hij permanent werd beschenen door de ondergaande zon. Hij was ergens in de vijftig. Zijn ogen waren altijd tot spleetjes geknepen tegen de rook van zijn sigaret. De rook die hem zo'n tien jaar later longkanker zou bezorgen, waaraan hij stierf in een ziekenhuis in Noord-Londen.

Dragan schreef gedichten over een onbeantwoorde liefde, hij was sentimenteel en hij had een verhouding gehad met een vrouw die in de stad waar ik woonde bekendstond als 'de vrouw die nooit haar huis verliet'. Geïntrigeerd door het mysterie, regelde hij een ontmoeting met haar door zich voor te doen als een journalist die een artikel over haar wilde schrijven voor de plaatselijke krant. Nadat hij die dag haar huis verliet, begon hij haar liefdesgedichten te schrijven en sonnetten te maken terwijl hij de brug over de schuimende, groene rivier overstak. Volgens de verhalen zou ze een schoonheid zijn, met haar dat tot op de grond hing en borsten die naar de hemel wezen. Haar moeder, die zich bewust was van de schoonheid van haar dochter en die zelf was verraden door 'dolende mannen', zoals zij ze noemde, was bang dat haar dochter misschien het verkeerde type vrijer zou aantrekken en zwoer dat deze voor haar huwelijk het huis niet zou verlaten. Ze hield zich aan haar belofte, maar omdat ze geen man genoeg vertrouwde om hem te laten kennismaken met haar dochter, brak het moment dat die het huis verliet nooit aan. Na de dood van haar moeder was de dochter er zo aan gewend om binnen te blijven en was ze zo bang voor de buitenwereld, dat ze haar leven simpelweg op de oude voet voortzette.

Spoedig na Dragans eerste bezoek wist de hele stad dat hij een verhouding met haar had, doordat hij voortdurend bij haar op bezoek ging. Het valt niet mee een verhouding te hebben met een vrouw die weigert haar huis te verlaten en af te spreken op een geheime, verborgen plek. Er zijn in mijn stad genoeg van dat soort plekken – verborgen, bedoel ik, maar niet echt geheim. Iedereen kent ze, want bijna iedereen die een verhouding heeft, gaat erheen. En wat ze daar te weten komen over de andere overspeligen, dragen ze als een revolver op hun heup, klaar om elkaar met die informatie overhoop te schieten.

Dragans vrouw was niet gelukkig met de situatie, omdat zij zich erdoor belachelijk gemaakt voelde, maar diep vanbinnen vond ze het eigenlijk niet zo erg. Dragan was geen aantrekkelijke man, en als hij had gedronken – wat vaak gebeurde – werd hij lastig. Dus ze vond het wel best dat hij zo weinig thuis was. Bovendien had zij ook een verhouding, met onze dokter. Dat wist ik omdat Dragan en zijn vrouw bij ons in de flat woonden. Elke keer wanneer de dokter me kwam onderzoeken vanwege mijn jeugdartritis, vroeg hij: 'Woont mevrouw D. ook niet hier in het gebouw?' En als ik dan ja zei, gaf hij me wat gedroogde lavendel om bij haar af te leveren. Hij had altijd wel een doorzichtig excuus, zoals dat ze die nodig had voor haar winterkleding, of omdat ze motten had of haar garderobe op orde wilde houden. Dan nam ik de dorre, stijve lavendeltakjes – symbool van de dorre, aromatische liefde van de dokter – tussen mijn gezwollen vingers, en ik snoof aan de welriekende, paarsblauwe bloemetjes.

De vrouw die nooit haar huis verliet, waagde zich zelfs tijdens de oorlog niet buiten. Vóór de oorlog waren er altijd wel mensen die in de winkels bij haar in de buurt werkten en zo vriendelijk waren om haar levensmiddelen en andere dingen die ze nodig had aan huis te bezorgen. Ze had nooit hoeven werken, omdat haar moeder haar bij haar dood een aanzienlijk fortuin had nagelaten. Maar toen de oorlog eenmaal was uitgebroken, was er niemand meer die nog bereid was haar boodschappen aan huis te brengen. Er was geen stromend water meer, en de mensen stonden bij de waterpompen op straat in de rij, met hun kostbaarste bezit in hun armen geklemd: plastic jerrycans. Niemand wilde zijn leven riskeren om de vrouw die nooit haar huis verliet water en levensmiddelen te brengen, want de straten rond haar huis waren regelmatig het doelwit van sluipschutters. Omdat ze geen kelder had, had de vrouw die nooit haar huis verliet geen veilig toevluchtsoord wanneer er werd geschoten. Maar zelfs Dragans liefde was niet opgewassen tegen haar koppigheid, haar pleinvrees, haar martelaarschap of wat het ook was dat haar hardnekkig deed binnenblijven. Het bleek onmogelijk haar zover te krijgen dat ze zelfs maar een voet over de drempel zette toen Dragan en een stel anderen haar kwamen halen, in een poging haar leven te redden.

Toen Dragan het uiteindelijk opgaf, ging hij terug naar zijn vrouw en zijn twee zoons en stortte hij zich op het organiseren van ontsnappingsroutes voor anderen, misschien ter compensatie, omdat hij de vrouw van zijn hart niet had kunnen redden. Hoe dan ook, hij stelde zich tot taak zo veel mogelijk anderen ervan te overtuigen zijn raad ter harte te nemen en het land te verlaten. Het schijnt dat het huis van de vrouw die nooit haar huis verliet al in het begin van de drie jaar durende oorlog tijdens een bombardement met de grond gelijk is gemaakt.

Gordana's geheim

We vroegen ons allemaal af of de Engelsen werden betaald voor deze klus, maar het bleek om vrijwilligers te gaan, gewone mensen die iets wilden doen, geïnspireerd door wat ze op de televisie hadden gezien. Ik bewonderde hun vermogen om in actie te komen. Want ik had zo vaak mensen horen zeggen dat ze iets wilden doen voor de armen, de ouderen, de ongewensten, de wereld als geheel, maar ik kende niemand die daarvoor ook daadwerkelijk zijn comfortabele bestaan had opgegeven.

Het leek me dat wij, als slachtoffers, en zij, als onze redders, een heel duidelijk omschreven rol hadden, en ik stelde me voor dat we samen zwommen in de troostende zee van de empathie. Pas veel later zou ik begrijpen dat de menselijke natuur tussen de redder en het slachtoffer in staat, en dat naast mededogen ook eigendunk, verwachtingen en een verlangen tot zelfbevrediging een rol spelen. En dat bovendien rollen die aanvankelijk duidelijk zijn afgebakend, regelmatig vertroebeld raken en onderling verstrengeld.

Toen we eenmaal een paar uur onderweg waren, hadden sommigen van ons behoefte aan een sigaret. Gordana was moeder van twee kinderen. Met haar strakke donkere vlecht die tot op haar keiharde billen viel, gehuld in een strakke lila legging, zag ze eruit als Xena, de krijgsprinses.

Ze loodste de rokers naar het luik in het dak van de bus. Met een ruk van haar gespierde arm aan de hendel drukte ze het luik omhoog op zijn zwarte, metalen poten. De wind deed onze haren wapperen, de rook kronkelde in snel dansende wervelingen om ons hoofd alvorens naar buiten te ontsnappen. We vroegen ons af of we wel mochten roken in de bus. 'Natuurlijk mogen we roken. We zijn zielig,' zei Gordana. Boven ons zagen we de hemel voorbijjagen, met wollige wolken in de vorm van honden, beren en draken die zich aftekenden tegen het blauw. Op Gordana's zwarte haren had de wind geen vat, want ze waren strak naar achteren gekamd, met de scheiding in het midden, als de diepe bedding van een drooggevallen rivier. Daaronder had ze een smal gezicht met grote, zwart opgemaakte ogen. Loom knipperend inhaleerde ze diep, haar zuigende, paarse lippen om het oranje filter van haar sigaret. De lippenstift was uitgelopen in de kleine rimpeltjes om haar mond. Ze keek de rook die ze uitblies na terwijl die door het luik van de bus naar buiten verdween, aanvankelijk traag krullend, tot hij door de wind werd gegrepen en meegesleurd. De sigaret rustte tussen haar lange, paarse nagels waarvan de punt naar beneden krulde. Paars is blijkbaar haar kleur, dacht ik.

Plotseling begon ze te praten, nasaal, monotoon. Ze zat in de problemen, zei ze. De andere vrouwen verzamelden zich om haar heen, en hun rook en hun zorgen vermengden zich met de hare. Gordana vertelde dat ze sinds enkele maanden in de menopauze zat, waardoor haar menstruatie erg onregelmatig was en ze last had van stemmingswisselingen, iets waaronder haar omgeving maar al te vaak te lijden had. Haar huid werd ook sneller droog. 'Hou het in de gaten, meisjes,' zei ze tegen ons, de jongeren. 'Zorg dat je gezond leeft en dat je niet zo veel rokt als ik. Jullie zijn nog jong, maar de tijd gaat snel.' Ze nam nog een trek van haar sigaret, en ik hoorde het zachte geknisper van de filter die door het vuur werd verteerd.

'Vertel op, Gordana, wat is dat probleem waar je het over had?' vroeg een van de vrouwen.

'Nou, ik gebruikte altijd een spiraaltje om niet zwanger te worden. Maar toen ik eenmaal in de menopauze zat, besloot ik dat ik wel zonder kon. Dat is nu een maand of drie, vier geleden. En mijn man en ik... Nou ja, we doen het nog heel vaak. We neuken op alle manieren die we kunnen bedenken, en zo vaak als we kunnen. Dat is altijd al zo geweest, vanaf de dag dat we elkaar leerden kennen. We hebben natuurlijk ook wel eens ruzie, en dan vliegen de borden tegen de muren en zit alles onder de koffievlekken, maar we maken het altijd weer goed. Hoe dan ook, ik dacht dat ik te oud was om nog zwanger te worden. Ik ben tweeënvijftig. Wie wordt er nou nog zwanger op haar tweeënvijftigste?' Ze zweeg en nam een trek van haar sigaret. Toen ze weer begon te praten, kwam er rook uit haar mond en haar neusgaten. 'Nou, ík word dus zwanger op mijn tweeenvijftigste. Daar ben ik net vanmorgen achter gekomen, vlak voordat ik in deze vervloekte bus stapte.'

'Weet je het zeker?' vroeg iemand.

'Ja, ik heb gisteravond een Predictor gekocht. Mijn menstruatie was laat, maar dat leek me niet abnormaal, vanwege de menopauze en zo. Totdat ik last begon te krijgen van ochtendmisselijkheid. Ik weet het als ik zwanger ben. Begrijp je wat ik bedoel?' Iedereen knikte. Zelfs ik, ook al had ik geen idee hoe het voelde om zwanger te zijn.

'Gisteravond durfde ik niet, maar toen ik vanmorgen weer moest kotsen, leek het me beter om over dat ding heen te pissen en te weten waar ik aan toe ben. Misko was er nog, en ik dacht dat ik het beter kon doen terwijl hij erbij was. Je weet wel, voor de morele steun. Dus ik de wc van het busstation in. Hij wachtte voor de deur. Toen ik die twee blauwe lijntjes zag verschijnen, dacht ik: godallemachtig! Tweeënvijftig en zwanger. Vluchteling, een man die achterblijft, menopauze. Hoe krijg ik het voor elkaar. En hoe kom ik aan een abortus? Wat moet ik in jezusnaam beginnen?'

'O Gordana. Dat is echt shit!'

Iedereen knikte, maakte meewarige geluidjes, schudde z'n hoofd. De tranen stroomden over Gordana's wangen, in haar mondhoeken verzamelden zich belletjes speeksel. De vrouwen omhelsden haar, klopten haar op de rug. 'Rustig maar. Rustig maar.' Met haar paarsgelakte vingers veegde ze haar tranen weg en smeerde ze haar dikke mascara uit. Het wit van haar ogen werd rood, haar lippenstift liep uit, zodat het leek alsof haar betraande gezicht onder de blauwe plekken zat. Ik liep naar mijn stoel om een zakdoek voor haar te pakken.

Tijdens de rest van de reis probeerden we haar zo veel mogelijk te ontzien. Een al wat ouder meisje, dat goed Engels sprak, legde een van de Engelse vrouwen uit wat er aan de hand was, waarop het gerucht ging dat Gordana medicijnen zou krijgen om een miskraam op te wekken zodra we eenmaal in Engeland waren.

De pil die ze moest slikken, bezorgde Gordana blijkbaar erg veel pijn. Ik stelde me voor hoe de baby met haar bloed uit haar baarmoeder werd gespoeld, doodsbang en dankbaar tegelijk.

Hiroshima mon amour

De reis verliep voor het grootste deel zonder incidenten. Ik had het druk met brieven schrijven en luisteren naar mijn walkman, terwijl ik ondertussen ruziemaakte met mijn zus over de vraag wie er aan de beurt was om breeduit te zitten. Uit de eivormige ventilatieopening boven mijn hoofd kwam koele lucht. Om mijn zus te ergeren bewoog ik het ding in het rond zoals een kameleon zijn oog beweegt, met korte, schokkerige bewegingen. De kinderen werden rusteloos. Er was een klein meisje bij dat zodra ze de kans kreeg, al haar kleren uittrok. Volgens haar moeder moest ze in een vorig leven stripper zijn geweest, want ze vond het afschuwelijk om gekleed rond te lopen. Zodra haar moeder haar met veel moeite had aangekleed, trok het kleine meisje het shirt over haar hoofd, zodat haar haren overeind gingen staan van de statische elektriciteit, en liet ze haar broek zakken.

The Snowman – de enige kindervideo die de bus aan boord had – werd keer op keer gedraaid, tot we hem allemaal, kinderen, volwassenen en alles wat daartussen zat, uit ons hoofd kenden. De ijle stem van het jongetje – *We're walking in the air* – liet ons niet met rust en vulde onze poriën. De muziek achtervolgde me tot in mijn dromen, en telkens wanneer ik opkeek naar het televisiescherm, zag ik de jongen en de sneeuwpop door de lucht vliegen, stralend gelukkig, met hun sjaals achter hen aan wapperend. Val naar beneden, kleine sneeuwman, smeekte ik in gedachten. Val naar beneden kleine jongen! En val dood! Tot op de dag van vandaag gaan mijn nekharen overeind staan als ik die wezenloze stem hoor.

Op een dag besloten de organisatoren ons te verrassen met een andere video. We waren extatisch. De film begon met de beelden van een stad aan een groene rivier, met groene bomen, lachende mensen. Ik herkende de stad waar ik was geboren. Een commentaarstem zei: 'Ooit was Mostar een mooie, vredige stad. De bewoners leefden in onderlinge harmonie, ongeacht afkomst en geloof. Maar toen stak de haat die eeuwenlang had gesmeuld, opnieuw de kop op. De haat en het verlangen om broeders en buren de dood in te jagen.' Er volgde een wirwar van beelden van beschietingen, van huizen die instortten als gipsmodellen, van bomen die brandden als fakkels, van rennende mensen, van de stad die werd verzwolgen door vuur, haat, het noodlot. Het was de perfecte actiefilm. Ik verwachtte half en half John Rambo met ontbloot bovenlijf op het scherm te zien verschijnen, zijn spieren als geoliede kabels, een olijfkleurige bandana om het gebruinde voorhoofd. Het leek absurd, bijna pervers, dat deze video werd afgespeeld op hetzelfde apparaat als *The Snowman*. Wat was er aan de hand? Waar was de sneeuwman en wat vond die van dit alles? Misschien zou hij op het scherm verschijnen, ook met ontbloot bovenlijf, ook met spieren als geoliede kabels, een olijfkleurige bandana om zijn ijzige voorhoofd, en misschien zou hij zijn bevroren lichaam opofferen door zich op een brandend huis te werpen, om de vlammen te doven en de bewoners te redden van een wisse dood.

Ik zag dat Emma, een van de Engelse vrijwilligsters, een

klein, vogelachtig dametje, zat te huilen op de treden van de bus. De tranen stroomden over haar gezicht en vielen op haar in spijkerstof gehulde knieën. Ze schoof haar zware bril omhoog en keek naar de televisie. Ik vroeg me af waarom het de vrijwilligers een goed idee had geleken deze beelden te laten zien. Leken we niet voldoende van streek? Misschien was de video bedoeld als motivatie, zoals werknemers van een bedrijf worden gemotiveerd om duidelijk te krijgen wat er van hen wordt verwacht. Waren de Engelsen in ons teleurgesteld? Ik heb het nooit begrepen. Ik keek naar de anderen. Er was niemand die protesteerde. Sommigen sliepen, anderen keken zwijgend, weer anderen huilden terwijl ze keken.

Koffie

De vaak onrustige nachten brachten we door op het parkeerterrein van een benzinestation. Wanneer ik wakker schrok en de felle rode, witte en blauwe neonverlichting zag, duurde het even voordat ik me herinnerde waar ik was. Dan keek ik om me heen naar mijn slapende medepassagiers, hun hoofd scheefgezakt als een verwelkte bloem, hun nek geknakt in hun slaap. Sommigen vertrokken hun gezicht alsof ze akelig droomden, anderen sliepen vrediger. De stilte in de bus had een kalmerende uitwerking op me, en ik keek naar buiten, waar af en toe een auto langsschoot en met zijn kleine, rode achterlichten een vurig spoor naliet.

De ochtend was gevuld met de lucht van benzine, verkeersdampen en stoffige stoelen, maar ook met de heerlijke geur van koffie die de bus binnendrong. Door het raampje had ik zicht op de kleine keuken, ondergebracht in de tweede bus. Maar het enige wat ik zag, was een arm die krachtig in een beige vloeistof roerde en met een theelepel op de rand van een mok tikte, alsof de roerder op het punt stond een orkest te dirigeren. Onze eerste Engelse koffie werd ontvangen met ondankbaar gespuug en kreten van afschuw. 'Dit is geen koffie! Dit is paardenpis!' De slappe oploskoffie werd geserveerd in enorme koppen (*mugs*, leerde ik later, een woord dat ook 'boeven' en 'politiefoto's'

kon betekenen), en de Britten lachten gegeneerd. Een enkeling van onze groep deed alsof hij de koffie lekker vond,
om onze gastheren niet voor het hoofd te stoten, en zei 'Het
smaakt naar thee!' in een poging tot een cultureel gepaste
verwijzing. De koffie waaraan wij gewend waren was de
Turkse variant, sterke koffie in kleine kopjes, die smaakt
naar benzine en die nog uren aan je gehemelte blijft plakken, en als je morst, ook aan de vloer. Zodra we in Penrith
arriveerden zeiden de Bosnische vrouwen: 'Nu zullen we
jullie ónze koffie eens laten proeven.'

Ze gingen op een rij staan, als in een legerkeuken, en
haalden hun koffiemolens, bonen, de koperen koffiepotten
en de kleine kopjes tevoorschijn die wel een beetje op Ja-
panse sakekommetjes lijken. De Engelsen gingen erbij zitten en wachtten af, glimlachend en vol spanning.

Bosnische koffie wordt gemalen in een langwerpige, koperen molen, een ouderwets apparaat dat in een stevige
greep op de heup wordt geplaatst. Met de andere hand pak
je de metalen hendel bovenop, en het malen kan beginnen.
Dat proces duurt ten minste tien minuten, en je hebt er
flinke biceps voor nodig. De geur van koper blijft aan je
handen kleven en dringt in je neus wanneer je je kopje naar
je mond brengt.

Een van mijn favoriete jeugdherinneringen bewaar ik
aan de vriendin van mijn tante, die eruitzag als de Slavische vrouwen die zijn afgebeeld op grote, communistische
muurschilderingen. Alleen zwaait de vrouw daarop doorgaans niet met een koffiemolen maar met een vlag. Deze
vriendin van mijn tante was een grote, sterke vrouw, met
een witte sjaal om haar brede gezicht gebonden, dieplig-
gende ogen en brede heupen onder haar schort. Over haar
zware borsten spande een blouse. Op de deur van haar zit-

kamer zat een ronde sticker met de tekst IN DIT HUIS WORDT NIET GEVLOEKT, afkomstig van de plaatselijke katholieke kerk. Blijkbaar had iemand anders die daar opgeplakt, want het gezin bezat een fantasierijk arsenaal aan vloeken. Ik vond het heerlijk om te zien met hoeveel gemak de vriendin van mijn tante koffie maalde, hoe de spieren in haar bruine armen zich spanden onder haar opgerolde mouwen. Ik was nog een spichtig kind, met dunne, krachteloze armen, maar ik droomde van de dag waarop ik ook zo moeiteloos koffie zou kunnen malen. Soms deed ik een poging, steunend, hijgend, als een soort ultieme krachtmeting, maar het duurde niet lang of de ongeduldige koffiedrinkers namen me de molen af en stuurden me weg met een lege, om te oefenen.

Na het malen van de koffie parelde er zweet op het voorhoofd van de Bosnische vrouwen. Ze lachten als heksen boven het kokende, dikke, zwarte brouwsel dat eruitzag als magma uit het hart van de aarde. Ervan overtuigd dat hun koffie bij hun Engelse gastheren in de smaak zou vallen, serveerden ze die met trots. Daarop gingen ze zitten, benieuwd naar het resultaat. Net als de meeste mensen die voor het eerst onze koffie drinken, brandden de Engelsen hun vingers aan het kopje (er zit geen houder omheen). De Bosniërs deden het hun voor – 'Zo!' – en hielden hun kopje tussen de punt van duim en wijsvinger. De Engelsen begonnen te slurpen, en te hoesten, en iedereen barstte in lachen uit onder het slaken van kreten van verrukking.

Parijs

Italië en Zwitserland vlogen voorbij alsof ze niet meer waren dan stadswijken. Van Italië herinner ik me het beeld van een kleine zwarte Fiat die ik een heuvel op zag tuffen. In Zwitserland kocht ik een zwarte aansteker met gouden hiëroglifen erop en VIENS AVEC MOI. Ik had geen idee wat dat betekende, maar het was een souvenir en het stelde me in staat te doen alsof ik een gewone toerist was.

Op de derde dag van onze reis stapte ik 's morgens vroeg uit de bus om een sigaret te roken. Ik was moe en ik had het koud. Zodra ik op het grind stapte, werd ik omhuld door een bijna lichtgevende witte mist, zo dicht als een pak watten. Om mijn benen te strekken liep ik in de richting van een smal pad, net breed genoeg voor één auto. In de berm stond een oud verkeersbord. De verf was afgebladderd, maar de haveloze letters waren nog te lezen. PARIJS stond er. Al rokend vroeg ik me af hoe ver het was en wanneer ik er zou zijn als ik het pad volgde. Om me heen was alles en iedereen in diepe rust.

Esma

Een van onze medepassagiers trad op als tolk. Ze heette Esma, en haar Engels was opmerkelijk goed, want ze had al eerder als tolk gewerkt, nog in het oude Joegoslavië. Bovendien was ze diverse malen in Engeland geweest. Voor ons belichaamde ze de geheimen van het land dat op ons wachtte. Als een volleerde reisgids stond ze voor in de bus. Haar afrokrullen blokkeerden gedeeltelijk de voorruit terwijl we aandachtig luisterden naar alles wat ze zei. Ze vertelde ons over allerlei merkwaardigheden in Engeland, zoals het feit dat ze daar afzonderlijke kranen hadden – 'Warm en koud water uit afzonderlijke kranen? Vreemd! Branden de mensen zich dan niet als ze 's morgens de kraan opendraaien?' – dat er links werd gereden – 'O, dat gaat me nooit lukken,' zeiden de bestuurders. 'Ik zou niet weten hoe ik moest schakelen' – en dat er in de stad rode dubbeldekkers reden – 'Net als de bussen op de ansichtkaarten!' klonk het lachend.

Er was in onze groep een man van middelbare leeftijd die zich aan de dienstplicht had weten te onttrekken, god mag weten hoe. Hij had een baard die zijn hele hoofd leek te omhullen, op de bovenkant van zijn kalende schedel na. Boven zijn aardappelneus schoten zijn kleine, donkere ogen rusteloos heen en weer. De man zat altijd in het midden van de bus. Volgens mij deed hij dat expres, zodat iedereen hem kon zien en horen bij zijn verhandelingen over zo ongeveer elk onderwerp dat ter sprake kwam. Hij heette Boban en was van alles geweest, van wiskundige tot kunsthistoricus tot opticien. Althans, als je zijn verhalen moest geloven. Natuurlijk wist hij alles wat er over Engeland te weten viel, en hij stond erop ons deelgenoot te maken van zijn kennis, ook al waren we meer geïnteresseerd in Esma's uitleg over de Engelse gewoonten.

Dus toen de kranen ter sprake kwamen zei Boban: 'O ja, die kranen. Weet je waarom ze dat hebben? Afzonderlijke kranen?' Hij sperde zijn neusgaten wijd open. 'Weet je waarom ze niet hebben gekozen voor de wonderen van de moderne badkamerinrichting?' Boban trok een gezicht alsof hij elk moment uit elkaar kon barsten. 'Nou?' Zijn blik gleed over zijn medepassagiers, die de wanhoop nabij waren. 'Dat is hun traditie! Ze hebben namelijk geen andere tradities waar ze trots op kunnen zijn. Dus die kranen, dát is hun traditie! Hahaha!'

Het duurde niet lang of we durfden amper meer een onderwerp aan de orde te stellen en we zagen af van groepsdiscussies, wat hem er niet van weerhield mee te luisteren bij vertrouwelijke gesprekken en zich daar schaamteloos in te mengen. Wanneer het eindelijk tot hem doordrong dat niemand in zijn mening was geïnteresseerd, begon hij met zijn zware accent tegen de Engelsen te praten, waarbij hij probeerde zo veel mogelijk woorden van zo veel mogelijk lettergrepen te gebruiken. 'Naar mijn mening is het buitengewoon onzorgvuldig dat Engeland niet zoiets kent als een identiteitsbewijs! Hoe denken jullie de lieden op te pakken die zich niets gelegen laten liggen aan het landsbelang? Hoe gaan jullie te werk bij – hoe noemen jullie dat? – het opsporen van verdachten?' De Engelsen zijn een beleefd volk, dus ze knikten en gingen welwillend de discussie aan. Maar onze tolk en medevluchteling Esma kreeg hoe langer hoe meer de neiging bepaalde dingen onvertaald te laten.

Onder de vrouwen ging het praatje dat Esma het erg moeilijk had met haar vertrek; dat ze niet uit Bosnië weg had gewild. Ze had twee dochters, die ook in de bus zaten. Allerliefste meisjes met staartjes en een stralende lach. De vrouwen genoten van elke roddel, snakkend naar smeuïge details – hoe klein en onbeduidend ook – over andermans leven, als kinderen die snakken naar snoep. Dit verhaal werd dan ook volledig uitgekauwd en afgebroken door bijtende roddelenzymen, tot elk greintje positiviteit eruit was verdwenen. Esma zou eraan gewend zijn dat haar moeder op de meisjes lette, terwijl zij met haar man 'de bloemetjes buitenzette'. Haar man vocht inmiddels in het leger, en nu zat zij met de dochters opgescheept, niet wetend wat ze met hen aan moest. Ze kon niet koken, ze kon niet schoonmaken, ze kon niet wassen, kortom, ze kon niets wat een Bosnische vrouw werd geacht met haar ogen dicht te kunnen. Ik stelde me haar voor terwijl ze met haar man de bloemetjes buitenzette. (Waar dééd je dat in mijn stad? Je kon er amper een fatsoenlijke wandeling maken.) En ik stelde me de meisjes voor in het huis van hun oma, vergeten door *mama* en *tata*.

Wat de waarheid ook mocht zijn over Esma en haar man en hun kwaliteiten als ouders, langzaam maar zeker veranderde Esma van onze welbespraakte tolk – vóór in de bus, met de microfoon in haar hand, de bril op het puntje van haar neus – in een vrouw die volledig de weg kwijt was. Ze huilde bijna voortdurend. Ze ging kettingroken en begon steeds sneller en nerveuzer te praten. Er werden diverse dokters geraadpleegd, maar het enige wat ze zeiden, was dat Esma zich zorgen maakte over haar man; dat ze het leven niet aan zou kunnen als hij stierf; dat ze terug moest naar huis. De meisjes moesten aanzien hoe hun moeder geleidelijk aan haar verstand kwijtraakte en van een normale vrouw veranderde in een bazelende vreemde met wie ze geen enkele verwantschap voelden. De vrouwen in de bus bekeken Esma met opgetrokken wenkbrauwen en klakten meewarig met hun tong.

Eenmaal in Engeland werd er zelfs een spiritueel heler ingeschakeld om Esma te helpen. Maar ze beschuldigde hem ervan dat hij had geprobeerd haar onzedelijk te betasten en maakte een enorme scène. Iedereen voelde zich in verlegenheid gebracht en staarde naar de grond, de muren, het plafond om haar waanzin niet te hoeven zien. Tegen de tijd dat ze naar een psychiater werd doorverwezen, was ze al te ver heen – dat was tenminste de uitdrukking die werd gebruikt om haar toestand te beschrijven. Volgens de dokter viel er niets anders aan te doen dan haar naar Bosnië terug te sturen, zoals ze wilde. Haar dochters bleven in Engeland, bij een gastgezin, en ik heb geen idee hoe het hen is vergaan.

Na haar terugkeer hoorde ik niets meer over Esma, maar ik moest vaak aan haar denken, vooral toen ik later zelf last kreeg van depressieve buien. De herinnering aan haar maakte me bang; de gedachte dat ik misschien net zo zou worden, maakte dat ik in paniek raakte en mezelf dwong om positief te blijven, om niet toe te geven aan mijn depressieve gevoelens, om te zorgen dat ik de boel bij elkaar hield en mijn gezonde verstand bleef gebruiken.

Jaren later ging ik voor een kort bezoek terug naar mijn geboortestad, die er tegen die tijd uitzag als een gat in het gebit van de wereld. Het was zomer, de hitte straalde van de stenen, het plaveisel, de muren. Toen ik op een avond met een vriend een kop koffie dronk op het terras van een bar, hoorde ik achter me luide kreten, een druk gekwetter. Ik draaide me om en zag een vrouw in een wijdvallende, wit-katoenen jurk, met een afrokapsel en een grote, ronde bril. Ze zat alleen aan een tafeltje te roken. In de asbak die voor haar stond, vormden vier brandende sigaretten een knus klein kampvuur. De vrouw keek lachend naar een denk-beeldige figuur die in de gele plastic stoel naast haar zat. Mijn maag kwam in opstand, en ik vroeg aan mijn vriend of hij wist wie de vrouw was. Natuurlijk had ik Esma met-een herkend, maar ze was tien jaar lang slechts een verdrie-tige, nare herinnering voor me geweest. Ik kon simpelweg niet geloven dat ze hier zat, aan het tafeltje naast het mijne. 'Dat is Esma. Ze woont een eindje verderop,' antwoordde mijn vriend. 'Ze komt hier elke dag, en zolang er niet veel klanten zijn, laten de obers haar zitten. Het schijnt dat ze gek is geworden in de oorlog. Dat ze is verkracht en dat haar kinderen zijn vermoord. Het is een heel naar verhaal.'

Daar zat ze, aan een tafeltje met een denkbeeldige vriend of vriendin. Wie fantaseerde ze als haar gezelschap? Ons, de mensen van de bus? Zou ze zich mij nog herinneren? 'Ze zat bij me in de bus toen ik naar Engeland ging,' vertelde ik. 'En daar heeft ze haar verstand verloren. Volgens mij van pure eenzaamheid. Ze kon het niet aan. Ik geloof niet dat ze is verkracht. Het ging allemaal heel snel. Je hebt geen idee hoe snel iemand geestelijk totaal de weg kwijt kan ra-ken.'

Ik stond op en liep naar haar toe, langzaam als bij een wild dier, wanneer je niet wilt laten merken dat je bang bent. 'Esma?' Ik wist niet wat ik hoopte, verwachtte. Ze keek op en staarde me wantrouwend aan. 'Ken je me nog? We hebben samen in de bus gezeten, naar Engeland. Jij trad op als tolk.' Even meende ik een blik van herkenning in haar ogen te zien. Ze trok haar neus op om haar zware bril op zijn plaats te houden, legde haar hand boven haar ogen tegen het licht van de lamp achter me en probeerde zich te concentreren. 'Heb je een sigaret voor me?' vroeg ze ten slotte, haar gezicht half in de schaduw van haar opgeheven hand. Ik gaf haar mijn pakje. Ze pakte er met lange nagels een sigaret uit en gaf het me terug. Ik stond nog altijd naast haar stoel en keek haar aan, want ik wilde dat ze het zich herinnerde, misschien in de hoop dat het proces daardoor zou worden teruggedraaid en de orde in haar verwarde geest zou terugkeren. Maar ze wendde zich alweer tot haar denkbeeldige vriendin en negeerde me. Ik liep terug naar ons tafeltje. Het ijs was gesmolten in mijn glas. 'Wat zei ze? Kende ze je nog?' vroeg Vedran. 'Nee. Ze vroeg om een peuk.'

Welkom in Engeland

Op de vierde dag van onze reis stonden we op een grote veerboot, die ons deinend op de golven van Het Kanaal naar Engeland bracht. De afbladderende verf van de reling prikte in onze klamme handen terwijl we naar het schuim diep beneden ons staarden. Johnny, de chauffeur, had de bus in het ruim geparkeerd, bij alle andere voertuigen die de oversteek maakten. Licht huiverend en zich uitrekkend kwam hij weer boven. 'Welkom in Engeland! Het is verdomme ijskoud!' Hij streek glimlachend over zijn rafelige snor. We stonden naast elkaar, als duiven die probeerden warm te worden, hun veren verwaaid door de wind. Het enige waaraan ik kon denken was het nummer van Vera Lynn: *There'll be bluebirds over/The white cliffs of Dover/Tomorrow, just you wait and see...* Jaren geleden had ik het in Joegoslavië op de radio gehoord, en ik vond het prachtig. Ik nam het op met een oude cassettespeler en draaide het grijs, aandachtig luisterend naar de tekst, zoals ik dat altijd deed met Engelse nummers. De woorden die ik niet begreep, zocht ik op in mijn dikke woordenboek Engels-Servo-Kroatisch. *Bluebirds* zag ik nergens, maar aan de horizon doemden de witte kliffen van Dover op, hoog oprijzend boven het grijze water, ons begroetend alsof we geëvacueerden waren uit Duinkerken. Terwijl ik keek, zag ik hoe de omtrekken van de witte rotsen zich vermengden met de hemel.

Eenmaal in Dover stroomden we het kantoor van de immigratiedienst binnen: een kleurloze, kille wachtkamer met betegelde muren en naargeestige verlichting. Er stonden oranje plastic stoelen. Een poster aan de muur herinnerde ons aan wat we vooral níét moesten doen. Een man met een gezicht als een samengebalde vuist kwam een kantoor uit. Hij tuurde door zijn dikke brillenglazen naar zijn klembord en gaf ons formulieren die we moesten invullen. Onze Engelse begeleiders hielpen ons, en voorzover we een beetje Engels spraken, hielpen we degenen in onze groep die dat niet deden.

Als mijn voogd – ze was negentien – werd mijn zus een kamer binnen geroepen met in zwarte letters INTER-VIEWS op de deur. Ze moest een hele reeks vragen beantwoorden over onze plannen in het Verenigd Koninkrijk en over onze nationaliteit. Er werden politiefoto's gemaakt, die aan een document werden geniet met daarop IND, Immigration and Nationality Department, per persoon een afzonderlijk document. Onder onze foto's stond onze naam, die nu al vreemd aandeed zonder cyrillische accenten. Daaronder stonden onze geboortedatum en de naam van onze – zo goed als van de kaart geveegde – geboorteplaats, met daarachter een land dat had opgehouden te bestaan. In de jaren die volgden, was het document van de IND ons enige identiteitsbewijs; iets wat ons markeerde als een hoop werk voor vermoeide of onverschillige ambtenaren van de sociale dienst; als iemand die een potentieel zwart gat betekende voor de fondsen van elke willekeurige bank. Er werd ons duidelijk gemaakt dat we het Verenigd Koninkrijk niet mochten verlaten als we niet wilden dat onze asielaanvraag kwam te vervallen. Onze Joegoslavische paspoorten, die niet langer geldig waren, werden ons afgenomen. Niemand vertelde ons hoe lang het zou duren om onze asielaanvraag te verwerken, wat in mijn geval vier jaar zou blijken.

Op de minderjarigen zoals ik na, werd met iedereen een gesprek gevoerd. Wie daarna weer naar buiten kwam, werd bestookt door een spervuur van vragen. 'Wat vroegen ze?' en 'Wat heb je gezegd?', alsof er zoiets bestond als een goed en een fout antwoord. De ouderen in de groep vouwden hun handen en baden, de kinderen renden in het rond. Hun ouders sleepten hen terug en namen hen afwezig op schoot, gehypnotiseerd door het nerveuze gepraat om hen heen.

Diverse uren later werd de reis voortgezet, naar Londen. Alles voelde ineens anders nu we in Engeland waren. Diep vanbinnen voelden we allemaal een leegte, een soort anticlimax. Wat nu? We reden door naargeestige buitenwijken, met aan weerskanten van de weg betonnen appartementenblokken en kleine, identieke rijtjeshuizen. Mijl na mijl na mijl. Uiteindelijk hield de bus stil voor een indrukwekkend wit gebouw met zuilen en een bordes. Op een plaquette stond in fraaie letters HET RODE KRUIS gegraveerd. De vrouwen van onze groep maakten een gedeprimeerde indruk. Want plotseling drong de realiteit in volle hevigheid tot hen door: het Rode Kruis, dat betekende hulpdiensten, rampen, oorlog, tragedie. En wij waren een product van dat alles. Het was gedaan met onze fantasie van een langdurige excursie.

Het elegante gebouw dat onderdak bood aan een organisatie die zo veel misstanden in de wereld probeerde te verhelpen, was ver verwijderd van de wreedheden op de Balkan die we achter ons hadden gelaten. Toen ik probeerde me iets voor de geest te halen wat met onze oorlog te maken had, kon ik alleen maar zwart-witbeelden oproepen van films over de Tweede Wereldoorlog: verpleegkundigen met witte schorten en een vierkant wit kapje op hun hoofd, soldaten in het verband die naar het plafond lagen te staren. Dat was ook min of meer wat ik verwachtte aan te treffen toen we naar binnen gingen: een zwart-witte zaal met veldbedden, waar niemand in de grauwe nacht ook maar een oog dicht zou doen.

In plaats daarvan bestonden de bedden uit kleine, gebreide, gebloemde dekens. Ze lagen op de grond, met daarbovenop nog meer gebreide dekens. We keken enigszins verloren om ons heen, onze waardigheid als emigranten uit de keurige middenklasse van onze maatschappij wegsmeltend als ijs dat langs een wafel lekt. Sommige vrouwen gingen op de grond zitten, met hun slapende kinderen in hun armen. Anderen zwierven wat rond en probeerden de indruk te wekken dat ze wisten wat er van hen werd verwacht. Een van de vrouwen stuitte op een kartonnen doos, gevuld met zeep, en pakte er een stuk uit, in de vorm van een sinaasappel. Toen een van de Engelse vrouwen dat zag, schoot ze haastig toe en pakte de zeep uit haar handen. 'Niet doen! Dat kun je niet eten!' Iedereen was vervuld van afschuw. Verwaand sekreet! Hoe durfde ze? Wist ze dan niet dat we thuis videorecorders hadden, en auto's, en zeep? Onze Engelse begeleiders waren duidelijk in verlegenheid gebracht door het gedrag van hun collega, maar wij begrepen precies hoe de vork in de steel stak: in hun ogen waren we halve wilden.

Sommige Bosnische vrouwen deden wanhopig hun best om hen van het tegendeel te overtuigen. Urenlang vertelden ze over alles wat ons was afgenomen: bedden, lakens, kasten vol linnengoed – geborduurd, gesteven – kristallen glazen, herinneringen, porselein, paspoorten, stofzuigers, huisdieren, geuren, geluiden, smaken, feestdagen. Maar het belangrijkste, vertelden ze, dat was dat we van elkaar hielden, dat we elkaar respecteerden, dat we de afgelopen vijftig jaar niet in haat en nijd hadden geleefd, klaar om elkaar de strot door te snijden zodra we onze kans schoon zagen. Ze probeerden duidelijk te maken dat de oorlog een vergissing was, een laaghartig spel van kwaadaardige politici. Dat de oorlog niets te maken had met ons, de mensen die hier voor hen zaten.

Ik had inmiddels een plekje op de grond gevonden, tussen de gebloemde wollen dekens op het grijze tapijt, en besloot te gaan slapen. Er viel weinig anders te doen. Ik had voortdurend het gevoel alsof ik een baksteen had ingeslikt, een brandend gevoel in mijn maag dat ook op mijn keel drukte. Terwijl ik me gereedmaakte om te gaan slapen, zag ik een van de Engelse vrouwen zorgvuldig tussen de dekens door lopen, alsof de vloer bezaaid lag met mijnen. 'Er is hier nog een bed vrij,' zei ik. 'O, dank je wel.' Ze glimlachte naar me en ging tussen de bloemen zitten. Maanden later zou ik bij haar en haar gezin wonen, in een pastorie op het platteland, me tijdens het bidden voor het eten scherp bewust van mijn socialistische atheïsme. De vrouw en haar gezin baden regelmatig voor mij en mijn familie, en daar was ik hun heimelijk dankbaar voor.

Rookproblemen

De volgende morgen stapten we weer in de bus en lieten Londen achter ons, de enige stad in Engeland waar we althans iets van wisten. Al rijdend gingen we om beurten onder het dakluik staan om een sigaret op te steken. De rookpauzes vormden doorgaans een rustpunt. We keken naar de hemel die boven ons hoofd aan ons voorbijtrok, en als we geen zin hadden om te praten, bleef het stil. Maar nu werd die stilte verstoord door een vrouw in een trainingsbroek met lubberende knieën en een afgezakt achterwerk. Ze sprong op uit haar stoel en stormde hoestend op ons af. 'Maak die sigaret uit!' schreeuwde ze. 'Wil je me soms dood hebben? Ik ben hartpatiënt. Ik heb drie pacemakers!' Ze klopte op haar linkerborst en produceerde een complete symfonie van gehoest en gerochel, rijkelijk vergezeld van slijm en het geluid van raspende bronchiën.

Ik had haar wel vaker gezien, wanneer we stonden te wachten om in te stappen. Ze was onveranderlijk gehuld in de armoedigste kleren, en ik herinner me dat Dragan waarderend had opgemerkt dat zij er tenminste uitzag als een echte vluchteling. 'Jij als enige weerspiegelt de tragedie die als een kwaadaardig monster ons land in haar klauwen heeft. Jij als enige kan ervoor zorgen dat we een betere indruk maken in de ogen van deze Engelsen,' had hij poëtisch verklaard, waarbij hij haar op de nylon schouder klopte.

Gevleid als ze was door zijn lof, was ze haar armoedige uitmonstering krampachtig trouw gebleven.

Na haar uitval tegen het roken namen we wanhopig nog een paar trekken en maakten daarna onze sigaret uit. 'Rustig maar, we zijn al weg,' zei Gordana. 'Je krijgt meer dan genoeg frisse lucht.' We fluisterden nerveus met elkaar over de gevreesde mogelijkheid van een rookverbod in de bus tijdens de rest van de reis. Ten slotte gingen we weer in onze warme stoelen zitten en keken naar het asfalt dat aan ons voorbijschoot.

'Dat is die verrekte doktersvrouw uit Sarajevo,' hoorde ik een vrouw achter me zeggen. 'Ze loopt erbij als een zwerver, maar wie denkt ze daarmee voor de gek te houden? Alsof we haar niet kennen! Alsof we niet weten wat ze allemaal heeft!' zei een andere vrouw. 'Laat haar nou maar,' zei een andere stem. 'Als ze inderdaad hartpatiënt is, kunnen we beter niet roken in de bus.' Sommigen waren het daarmee eens, anderen zeiden niets.

Onze reis werd opnieuw omlijst door de gebruikelijke geluiden: gezucht, kindergemompel, de zwoegende motor van de bus die tussen twee versnellingen probeerde op adem te komen. Boven een stoel een eindje vóór me zag ik een rookwolk opstijgen. Iedereen wachtte in spanning tot de hartpatiënt opnieuw woedend zou uitvallen, maar er gebeurde niets. Ze hield haar mond. Sliep ze misschien? Ik was benieuwd wie het lef had zo vlak bij haar een sigaret op te steken. Het kon toch niet anders of iedereen had gehoord hoe ze tekeerging? Wie was zo onbevreesd om die woede te tarten?

Voorzichtig liep ik met kleine stapjes in de richting van de rookwolk, nagekeken door de rest van de bus, die net zo nieuwsgierig was als ik wat ik zou aantreffen. Ik boog me over de stoel en toen zag ik haar, de hartpatiënt, achter-overgeleund, een been omhoog, breeduit over twee stoe-len. Alle pacemakers waren vergeten. Ze schrok toen ze me zag.

'Wat krijgen we nu?' zei ik. 'Ik dacht dat je het aan je hart had?' Ik kon mijn ogen niet geloven en was ervan overtuigd dat dit een of andere grap was.

Ze lachte vluchtig en doofde haar sigaret. 'Ik heb gepro-beerd te stoppen met die verrekte dingen.' Ze ging rechtop zitten en keek me schuldbewust aan. Een voor een kwamen er anderen bij staan, en toen ze zagen dat zij het was die had zitten roken, sloegen ze met een geschokte kreet hun hand voor hun mond en renden terug naar hun stoel, om het aan iedereen te vertellen of om de rest van de bus erbij te halen, alsof de vrouw een schouwspel was dat niemand mocht missen. Toen de opwinding uiteindelijk zakte, sta-ken we een sigaret op en bliezen de rook naar het luik dat uitzicht bood op de hemel.

Het recht op bont

Het was de laatste dag van onze reis, en ik was weer eens weggedommeld in een ongemakkelijke, droomloze slaap. Het witte zonlicht achter een ragdunne laag wolken maakte me wakker, en ik knipperde met mijn ogen, in een poging me aan te passen aan zo veel helderheid. Ik zag kleine huisjes, gebladerte, een smaragdgroen landschap en voelde dat mijn hart een sprongetje maakte. We waren in Kendal. En het was er prachtig. Een deel van onze groep zou hier blijven, de rest zou verder reizen naar Penrith, onze eindbestemming. Maar eerst zouden we hier allemaal een rustpauze houden.

Ik zag de vrouw met de pacemakers de bus uit rollen in haar hagedisgroene joggingpak, met verwilderde haren en een norse trek om haar mond. Gordana stond al buiten te roken, zoals gebruikelijk omstuwd door een groep vrouwen. De oude man die met ons meereisde om zich in Engeland bij zijn dochter te voegen, had zijn armoedige vest opengeknoopt en koesterde zich in de zon wanneer die erin slaagde tussen de wolken door te piepen. Esma keek nerveus om zich heen, terwijl ze de ene sigaret met de andere aanstak. De Engelsen stonden met de gastheren in Kendal te praten, voor een kleine kerk. Mijn zus en ik werden, samen met een groepje oudere meisjes die een beetje Engels spraken, apart genomen en voorgesteld aan Brian.

Hij had een witte baard die naadloos overging in pluizige bakkebaarden, zodat het leek alsof hij een nepbaard droeg, net als de Kerstman. Hij sprak langzaam en luid, waarbij hij ons een voor een nadrukkelijk aankeek. 'We hebben binnen wat kleren gesorteerd. Iedereen mag eruit halen wat hij of zij nodig heeft. Een T-shirt of een broek. Ja?' (Doordringende blik.) 'Willen jullie tegen de vrouwen zeggen dat ze naar binnen moeten gaan en dat ze daar niet mogen roken? Ja?' (Nerveuze glimlach.) We liepen van het ene groepje rokers naar het andere om de boodschap over te brengen. Sigaretten werden vermorzeld onder hakken, stof waaide op van het grind.

Het was een kleine, donkere kerk. Daar kon ook het gekleurde licht dat door de hoge glas-in-loodramen naar binnen viel, niets aan veranderen. De kleren waren keurig uitgespreid in een halve cirkel. In het midden stond een langgerekte kraam met daarop van alles en nog wat. Er waren T-shirts in alle maten en lengten, de meeste versleten en verwassen; er waren broeken in opvallende dessins, truien met lovertjes. Alles rook naar plastic en mottenballen. Aan een van de muren hing een stel bontjassen. Bruine, witte, okergele, glimmend zwarte. Ik wist dat er problemen zouden ontstaan wanneer die eenmaal waren ontdekt. Te veel Slavische vrouwen en te weinig bontjassen.

Binnen enkele minuten gonsde het in de kerk als in een bijenkorf. Handen, vingers graaiden door de tweedehands kleding, door katoen en nylon, kleerhangers maakten een afkeurend geluid terwijl ze over metalen rails werden geschoven. En er ontstond regelrechte chaos in Gods huis toen mijn bontvoorspelling werd bewaarheid. Wie zou ze krijgen? Wie had ze als eerste gezien? Hoe verandert iets van liefdadigheid in het rechtmatige bezit van een recht-matige eigenaar?

'Ik zag hem als eerste,' zei een vrouw.

'Nou en? Ik zag hem als tweede.'

'Ik heb een klein kind, dus ik heb een bontjas nodig,' zei een vrouw met een slapend kind in haar armen.

'Mijn achternaam begint met een A, dus ik sta als eerste op de alfabetische lijst.'

'Welke alfabetische lijst?'

'Die hebben ze. De Engelsen. Ga het maar vragen als je me niet gelooft.'

Iemand ging naar de alfabetische lijst informeren in ver-band met de bontjassen. De Engelsen hadden geen idee waar ze het over had. Ondertussen had mevrouw A de bontjas al in een plastic zak gepropt en aan haar dochter gegeven, met de instructies die naar de bus te brengen. Ze wachtte in gespeelde verontwaardiging tot de andere vrouw terugkwam. De Engelsen werden de kerk in gehaald om te beslissen wie een bontjas zou krijgen. Nadat ze alle emotionele beroepen op het individuele recht op bont hadden aangehoord, dachten ze even na, waarbij de man met de witte baard die als leider optrad naar het plafond keek, alsof hij een beroep deed op Gods wijsheid. Uiteinde-lijk verklaarde hij: 'Omdat we geen besluit kunnen nemen aan wie we de bontjassen geven, krijgt niemand ze. We brengen ze terug naar de winkel van het Leger des Heils.' De vrouwen probeerden het besluit aan te vechten, maar daar was het laatste woord over gesproken. Mevrouw A protesteerde dapper mee, zodat niemand zou merken dat ze al een bontjas naar de bus had gesmokkeld.

Het belang van beleefdheden

Er was in de kerk in Kendall één vrouw die zich niet liet op-
jagen, maar de kleren stuk voor stuk grondig inspecteerde
en keurend de stof betastte: Rada, met de pacemakers. Ze
nam haar rol als vluchteling heel serieus en deed precies
wat ze dacht dat een vluchteling zou doen. Het inslaan van
tweedehands kleren hoorde daar duidelijk bij. Make-up
dragen en haar haren kammen blijkbaar niet, dus daar
hield ze zich niet mee bezig. Alle andere vrouwen werkten
hun lichte of donkere lippenstift regelmatig bij en controleerden in een zakspiegeltje of hun haar er nog mee door
kon, Rada niet. Terwijl ik voor de kerk stond te wachten,
zag ik dat de Engelsen elkaar lachend aanstootten om
iemand die naar buiten kwam. Het was Rada, met in de ene
hand een koffer, in de andere twee stampvolle vuilniszak-
ken waar mouwen uit hingen als een soort darmen.

Er werd een lunch geserveerd. Gevolgd door scones met
boter. En daarna thee. Typisch Engels. De streek waar we
waren heette het Lake District, werd ons verteld. Ik vind
het fijn in het Lake District, dacht ik. Terwijl we zaten te
eten kwam er een groepje van onze Engelse begeleiders
naar me toe met de vraag of ik wilde tolken. 'Hier in Engeland wordt het op prijs gesteld als mensen "alstublieft" zeggen wanneer ze ergens om vragen. En "dank u wel" als ze
iets krijgen,' zei een van hen. Ik vertaalde wat hij had ge-

zegd. 'Het is ons opgevallen dat jullie Bosniërs dat niet doen, dus zouden jullie willen proberen dat te onthouden?' Ik vertaalde weer. 'Oké,' antwoordden de Bosniërs verrassend ongeïnteresseerd. 'Dank u wel alstublieft!' zei de oude man, die duidelijk genoot van zijn scones met jam, en iedereen bulderde van het lachen.

Ik werd me er zo sterk van bewust dat ik 'alstublieft' en 'dank u wel' moest zeggen, dat ik maanden later zelfs een geldautomaat bedankte, tot grote hilariteit van de mensen die achter me stonden. Ik stelde me voor dat ze hun vrienden en familie vertelden over dat rare buitenlandse meisje – een 'Oost-Europeaanse', zoals ik hier werd genoemd – dat 'dank u wel' zei tegen een apparaat.

Het kasteel

Toen we Kendal die middag verlieten, kregen we te horen dat de organisatie van ons onderdak in Penrith nog niet rond was, dus dat we de eerste paar dagen in een kasteel op het platteland zouden doorbrengen. We naderden het kasteel door tuinen die zich over de heuvels leken uit te strekken tot het bos aan de horizon. Boven ons was het oneindige gewelf van de hemel grijs, afgewisseld met wit en blauw. Ook al was het maar voor een paar dagen, we keken allemaal verbaasd om ons heen toen we werden ondergebracht in kamers gemeubileerd met hemelbedden en kostbaar antiek. Iedereen was zo onder de indruk dat het onophoudelijke gekibbel over de tweedehands kleding eindelijk ophield, en ook de bizarre ruzie over het feit dat een van de vrouwen al het wc-papier van het kasteel naar haar kamer sleepte en onder haar hemelbed verstopte, duurde niet lang. Ik ging naar buiten, met mijn walkman, en zwierf uren door de tuinen.

Toen ik op een dag terugkwam van een wandeling zat Safija, een van de Bosnische vrouwen, tegen een van onze beleefd knikkende en glimlachende Engelse begeleiders alle gemakken op te sommen die haar huis voor de oorlog had gekend. Safija sprak geen Engels en ze weigerde te accepteren dat onze gastheren geen woord konden verstaan van wat ze zei. David – klein, donker, met een pezig lichaam en zachtmoedig van aard – die zich bij de vrijwilligers had aangesloten toen we in het kasteel waren gearriveerd, was naast Safija gaan zitten. Toen hij haar verhaal glimlachend had aangehoord en op haar vragen alleen maar knikte, vroeg ze mij te vertalen wat ze had verteld. Dat deed ik. Waarop Safija haar opsomming van alles wat ze had bezeten, vervolgde. David was met stomheid geslagen en ik haalde verontschuldigend mijn schouders op terwijl ik haar woorden in het Engels herhaalde: '... koekenpannen, jams en ingelegde uien en augurken, vloerkleden voor de zomer en de winter, televisie, video, wasmachine, kristallen glazen...' Haar opsomming had iets wanhopigs, als een bezwerende litanie, alsof ze daarmee haar bezittingen probeerde terug te halen. Toen zei ze plotseling: 'Weet je, David... Vooruit, vertalen!' Ze gaf me een por in de ribben. 'Ik spreek dan wel geen Engels, maar misschien kunnen we in het Latijn communiceren. Want ik ben dokter.' Ik vertaalde, David knikte. 'Ik ken de benamingen van de delen van het lichaam. Bijvoorbeeld...' Ze glimlachte vluchtig, bijna schalks. 'Biceps.' (Ze sprak het woord uit als *bieseps*, terwijl ze naar Davids spierballen wees.) 'Triceps.' (*Trieseps*, en ze kneep in zijn arm.) 'Penis.' (*Pehnis!* Ze wees met een magere vinger naar zijn kruis.) Toen schaterde ze het uit, en David werd vuurrood. Ik zat ertussenin, verstrikt in een grap die geen vertaling nodig had. Safija had eindelijk iets van thuis teruggehaald: een staaltje Bosnische humor.

Schaduwen

Ik had last van nachtmerries. Er was er een die regelmatig terugkwam: lege straten, het geklak van hielen. Ik hield me verborgen, de oorlog was in volle gang en ik kon nergens heen. Engeland was niet meer dan een droom. Een slanke man die ik nooit eerder had gezien, met een zilveren pistool op zijn heup, witte tennisschoenen aan zijn voeten, gekleed in een spijkerbroek en een bruin T-shirt, zei: 'Ik ben het hoogste gezag.' Dan werd ik wakker, met het zweet op mijn voorhoofd. Terwijl ik naar de schaduwen op de muur keek, wist ik het weer. Ik was een vluchteling, in Engeland. Wat een opluchting!

Buitenbeentjes

De dag dat we het kasteel verlieten, transformeerde Rada zichzelf tot prinses. Alleen of in groepjes werden we meegenomen voor een kijkje in het huis waarin we zouden worden ondergebracht. Rada vertrok na het ontbijt, in haar gebruikelijke sjofele uitmonstering, hoewel ze bepaald niet arm was, zoals ik inmiddels wist. Ik zag haar niet terugkomen, maar toen ik later op de dag koffie zat te drinken in de hal, kwam ze de trap af in een modieus broekpak met daaroverheen een smaragdgroene jas. Ze droeg bijpassende groene oorbellen en had haar haar in de lak gezet. Iedereen in de hal hield verrast zijn adem in. 'Wat is er met jou gebeurd? Ik zou je bijna niet herkennen. Ben je geen vluchteling meer?' vroegen de anderen plagend. 'Het is werkelijk schitterend, het huis waar ik heen ga,' zei ze, bijna hyperventilerend van opwinding. 'Daar kan ik niet in oude vodden naartoe!' Rada probeerde te doen wat zij dacht dat goed was. Maar net als met de sigaretten, hield ze het niet vol en kreeg haar ware aard uiteindelijk de overhand.

Mijn zus en ik gingen een kijkje nemen in ons nieuwe onderkomen samen met Nada, onze toekomstige huisgenote en medevluchtelinge, en Sasha, haar zoontje van drie. Ik was bang geweest dat ik bij een van de gezinnen zou worden geplaatst en dat ik door andermans moeder op mijn kop zou worden gezeten, maar Nada was pas achtentwintig, en de ideale huisgenote. Ze was aardig en grappig, iets minder in de war dan wij, en ik benijdde haar niet dat ze haar huis moest delen met mijn zus en mij, twee meiden in de tienerleeftijd. Sasha was lief en een klein beetje stout. Hij had zich een soort brabbeltaaltje aangeleerd dat hij met groot enthousiasme sprak – zijn reactie op het Engels dat om hem heen werd gesproken en waarvan hij niets begreep. We werden naar een huis aan het eind van een lange straat gebracht, waar we kennismaakten met Eve. De schuur in haar achtertuin was opgeknapt tot woning voor haar dochter Angie, die de schuur op haar beurt aan ons ter beschikking stelde.

Behalve met Eve maakten we ook kennis met haar zes katten, waaronder Fred, die een epileptische aanval kreeg zodra Eve de stofzuiger aanzette. Het had er alle schijn van dat Eve de neiging had zich te ontfermen over de minder fortuinlijken in de samenleving. Op de eerste verdieping van haar huis woonde Philip, een lieve man met het syndroom van Down, die volgens Eve in snikken uitbarstte bij het zien van reportages over Bosnië en die dan ook blij was toen hij hoorde dat wij bij Eve onderdak zouden vinden. Verder was er Margaret, een vrouw van middelbare leeftijd maar met de geestelijke ontwikkeling van een kind van vijf. Zowel Margaret als Philip was buitengewoon blijmoedig van aard. Toen we een kijkje in het huis kwamen nemen, heerste daar enige commotie omdat Philip het kunstgebit van Margaret door de wc had gespoeld. Zij vonden het allebei reuze grappig, maar Eve kon er niet echt om lachen.

De school waar ik naartoe ging, stond aan de andere kant van de stad, gerekend vanaf het huis waar ik woonde met Nada, Sasha, Eve, Angie, Philip en Margaret en de zes

75

katten. Elke ochtend werd ik gehaald door een medeleerling en zijn vader. De jongen zei niet veel tegen me. Hij keek alleen een beetje nijdig omdat ze langs mij moesten. Ik rolde nog half in slaap de auto in en deed tijdens de rit, die tien minuten duurde, mijn best om over te schakelen op het Engels.

De avonden bracht ik met mensen van school door in de pub, waar ik probeerde het razend snel gesproken Engels – compleet met noordelijk accent – te begrijpen, veel te veel rookte en voor het eerst van mijn leven cider dronk. Ik was voortdurend bezig de Engelse taal te absorberen, en wanneer ik 's avonds in bed het licht uitdeed, wervelden er talloze nieuwe woorden door mijn hoofd. Mijn nieuwe vrienden en vriendinnen bestookte ik met vragen over de woorden die ze gebruikten, en op hun beurt stonden zij erop dat ik leerde tellen in het Cumbrisch, een oude taal die niet meer wordt gesproken en waarvan alleen nog wat sporen resten. Inmiddels ben ik alle telwoorden weer vergeten.

Ik wende me aan *castle* en *grass* te zeggen met de korte, noordelijke klinkers, tot een meisje dat een van mijn beste vriendinnen zou worden, het op zich nam me de 'juiste uitspraak' te leren. *Luv* in plaats van 'lav'; *butcher* in plaats van 'batcher', zoals ik het uitsprak in mijn enorme linguïstische verwarring. Ik volgde de lessen voor het zogenaamde GCSE (General Certificate of Secundary Education), waar we onder andere de oorlogsgedichten van Wilfred Owen lazen. Veel leerlingen waren bang dat ik de oorlogsbeelden te heftig zou vinden, maar ik had het veel te druk met het ontcijferen van de zelfstandige naamwoorden en de werkwoordsvervoegingen om me in de beelden te verdiepen. Onze leraar, meneer Barrett, bood aan me bijles Engels te geven, wat inhield dat ik opstellen schreef, die we vervolgens samen doornamen. In Joegoslavië was het schrijven van opstellen een zeldzaamheid – alle examens waren mondeling – en ik genoot van het Engelse systeem waarbij je de tijd kreeg om na te denken en zorgvuldig te formuleren, in plaats van gebukt te gaan onder leraren die, althans op mijn school, elke kans aangrepen om leerlingen die ze niet mochten, belachelijk te maken en te vernederen.

Meneer Barrett was aardig, maar nogal somber. Ik woonde al een paar maanden in Penrith, toen hij me op een dag aansprak over mijn gebruik van het woord *like* in mijn opstellen. 'Vesna, *like* is een woord dat de mensen hier in de streek bijna achter elke zin plakken.' (Dat is waar. Cumbriërs zeggen dingen als: *How's it going, like eh?* of *What's the crack, like, eh?*) 'Maar dat is geen goed Engels,' aldus meneer Barrett. Hij legde me het verschil uit tussen *like* en *as if* en in welke gevallen ik ze moest gebruiken, of juist niet. Ik wil goed Engels spreken, dacht ik, dus ik probeerde alles wat hij me leerde in mijn hoofd te stampen.

Het dragen van het schooluniform werd me bespaard omdat ons verblijf in Engeland – of liever gezegd in Penrith – vermoedelijk niet langer dan zes maanden zou duren. Iedereen ging ervan uit dat de oorlog tegen die tijd voorbij zou zijn, zodat we terug konden naar huis. En dus droeg ik, tot grote jaloezie van de overige leerlingen, een rode spijkerbroek en geruite bloezen naar de lessen. Om het niveau van mijn Engels te peilen werd ik aanvankelijk naar de lessen voor zowel het A level als het GSCE gestuurd. Voor het A level waren ze bezig met *Hamlet*, en luisterend naar de onbegrijpelijke woordenbrij herkende ik alleen 'Gertrude', 'moeder', 'Hamlet', 'Ophelia' en de rest van de namen. Ik had *Hamlet* in het Servo-Kroatisch gelezen, net voor het uitbreken van de oorlog, maar dat hielp me nauwelijks bij het begrijpen van het origineel. Wekenlang zat ik er zwijgend bij, zonder deel te nemen aan de discussies die in de klas werden gevoerd. Toen we overstapten op William Blake, besloot ik dat er iets moest veranderen, en gaf ik uit mezelf commentaar tijdens de behandeling van *The Sick Rose*. Ik hield het kort en sprak over dood en liefde, waarop er een doodse stilte neerdaalde in het lokaal terwijl iedereen – zowel de leraar als mijn medeleerlingen – me aanstaarde. Ik kwam er niet achter of het onzin was wat ik had verkondigd of dat ze simpelweg verbijsterd en met stomheid geslagen waren door het feit dat ik na weken mijn stilzwijgen had verbroken.

Op vrijdag- en zaterdagavond ging de hele school naar Penrith Pride, een oude, sjofele pub met gammele meubels en tot op de draad versleten vloerbedekking in een onduidelijke kleur groen. De eigenares, haar man en hun hond gaven beginnende rockbands een kans om op te treden, en ons om net zo veel cider te drinken als we wilden. Op maandagochtend schepten de jongens tegen elkaar op over het aantal *pints* dat ze in het weekend achterover hadden geslagen. Ik vond de trots waarmee ze dat deden, en hun fanatieke competitie over wie zich het minst van de avond herinnerde, fascinerend. Thuis was drinken niet echt populair geweest; we rookten één joint met z'n vijven en waren dan de hele week stoned. De eerste keer dat ik dronken werd, was op oudejaarsavond 1992.

Ik miste de zon en ik voelde me permanent doorweekt door alle regen, gebeukt door de wind die altijd uit het noorden leek te waaien. Op school nam ik lessen fotografie, en ik maakte foto's van landerijen, waarbij ik probeerde de diagonale pijpenstelen waarmee de regen langs de horizon joeg of de drenzende motregen op de grashalmen met de camera vast te leggen. Vervolgens verdween ik de donkere kamer in, waar ik urenlang bezig was met afdrukken.

Jude

De twee maanden dat ze het in Penrith wist uit te houden, hing mijn zus maar wat rond. Hoewel ze in Bosnië nog op school had gezeten, was ze daar in Engeland te oud voor, en er was niemand die wist wat ze dan kon gaan doen. Op het moment van vertrek had ze inmiddels zes maanden verkering, maar ze had haar vriend in Kroatië moeten achterlaten. Een jongen van in de twintig met pikzwart haar. Ze stuurden elkaar smachtende brieven en telefoneerden voor kapitalen. Mijn moeder, die weinig vertrouwen had in tienerliefdes – en in mij, als ik alleen in Engeland zou achterblijven – probeerde mijn zusje ervan te overtuigen dat ze toch vooral niet terug moest komen. Maar jonge liefde kan ijzer met handen breken, en zoiets simpels als een asielaanvraag was wel het laatste wat die liefde in de weg zou staan. In december 1992 besloot mijn zusje terug te gaan naar Kroatië. Samen met Jude zwaaide ik haar uit op het kleine station van Penrith.

Ik had Jude leren kennen bij de Safeway, de grootste supermarkt daar. Hij zat daar achter de kassa. Ik ging erheen omdat ik nog nooit een echt grote supermarkt had gezien en was diep onder de indruk, alleen al door het assortiment margarine. Thuis hadden we maar één soort, Dobro Jutro! (Goedemorgen!), met op de verpakking een olijke koe die de ontbijter lachend aankeek. Maar hier kon ik kiezen uit margarine verrijkt met olijfolie, margarine waarvan je je niet kon voorstellen dat het geen boter was, margarine zonder vet, halfvette margarine, volvette margarine.

Ik wilde mijn haar verven, maar aarzelde over de kleur. Rood, dat was het enige wat ik wist. Alleen, er waren zo veel verschillende tinten en op elke verpakking werd me een geweldig resultaat beloofd. Met als gevolg dat ik geen keus kon maken, uit angst dat het verkeerd zou uitpakken. Ik beperkte me tot een halve liter melk en liep daarmee naar de kassa. Eenmaal in de rij zag ik Jude. Hij droeg witte bedrijfskleding en liet tot ergernis van de klanten, maar grijnzend om zijn eigen onhandigheid, voortdurend levensmiddelen uit zijn handen vallen. Ik voelde onmiddellijk verwantschap. Sinds die eerste keer ging ik regelmatig naar de Safeway, en altijd naar zijn kassa. Mijn hart maakte een sprongetje van blijdschap wanneer hij mijn groenten en fruit liet vallen en mijn tomaten plette. Op een dag vroeg hij of ik zin had iets met hem te gaan drinken als zijn werk erop zat.

Wanneer hij geen bedrijfskleding droeg, bleek hij zich te hullen in een te grote jas, sjofele, oude laarzen, een wijdvallende broek en een verkreukeld shirt. En hij rookte sjekkies die er telkens weer anders uitzagen. Soms leken ze op een peer, dan weer op een banaan of een komkommer. En ze gingen altijd uit. Ze kruimelden en brandden gaten in zijn kleren. Verder had Jude er een handje van over alles te struikelen. Wanneer hij een pub binnen liep, kwam hij op weg naar een groepje vrienden in aanvaring met ten minste drie stoelen. Om een lang verhaal kort te maken: ik werd tot over mijn oren verliefd op hem.

Voor het eerst in maanden voelde ik me weer normaal. Jude vroeg niet naar doden, gewonden, verwoestingen. Hij gaf geen enkel blijk van de morbide nieuwsgierigheid die zo veel mensen aan de dag legden. Hij praatte met me alsof ik een gewoon meisje uit Penrith was. We hadden het over muziek, over de Cure, Neil Young, Tim Buckley. Wanneer we 's avonds door de regenachtige straten liepen, zongen we samen, waarbij het bleke licht van de straatlantaarns onze tanden wit deed oplichten als we lachten. We luisterden naar muziek, we lazen boeken, soms maakten we ruzie, en dan weigerde ik hem van zijn werk bij de Safeway te komen halen. Hij woonde in een cottage op het platteland, en in december zou ik Kerstmis bij hem vieren.

Het huis lag te midden van een witbesneeuwde verlatenheid, bij een bevroren meer. De kelder stond vol met schilderijen die zijn vader had gemaakt, onder andere van het gezicht van Margaret Thatcher, gezien in een gebarsten spiegel. Judes vader was een vriendelijke man met een baard, precies zoals je verwachtte dat een kunstenaar in een afgelegen cottage eruit zou zien. De moeder van Jude had een zachte stem en lang haar, tot haar middel. Die Kerstmis vergat ik even wie ik was en wat ik in Engeland deed; ik vergat dat er thuis een oorlog woedde, dat er dagelijks mensen stierven, dat ik mijn familie niet bij me had, dat ik hier niemand kende. Na de lunch ging iedereen even liggen, en Jude en ik verdwenen naar het stapelbed op zijn kamer, die meer weg had van een treincoupé, met aan de muur een poster van Marilyn Monroe die ons pruilend een kus toewierp. 's Middags, toen de hemel van stralend lichtblauw verkleurde naar indigo, ging Judes vader een eind met ons wandelen. We liepen naar het meer, dat blijkbaar voor het eerst sinds jaren weer bevroren was. Onze wangen gloeiden van de kou.

De administrateur

Woensdag was de dag waarop wij vluchtelingen onze *income support*, onze uitkering, ontvingen. Na het vertrek van mijn zus kreeg ik mijn eigen boekje, waarmee ik elke woensdag naar het postkantoor liep. Het was een dag waar we allemaal naar uitkeken, en wanneer we ons geld hadden gehaald, kwam iedereen naar het Quaker Meeting House om een deel ervan af te dragen aan het Return Fund, dat door de organisatoren was opgezet voor het financieren van onze tickets naar huis, wanneer onze zes maanden in het Verenigd Koninkrijk erop zaten.

Met zijn maatpakken van tweed en zijn dikke brillenglazen leek de administrateur zo uit een oude foto gestapt. Krampachtig schrijvend vulde hij bladzijde na bladzijde met cijfertjes en bedragen. Naast je naam noteerde hij zorgvuldig de ontvangen bijdrage. Ik ontving elke week 23,75 pond. Nadat ik mijn 7 pond voor het Return Fund had afgedragen, had ik nog 16,75 pond. Daarmee liep ik de heuvel op naar huis terwijl boven me zwarte vluchten vogels langs de hemel joegen, en ik gaf Nada 10 pond voor de wekelijkse boodschappen. Bleef over 6,75 pond. Na de aanschaf van een pakje Silk Cut had ik nog 4,75 pond. Bij het tankstation kocht ik vervolgens drie chocoladerepen, die ik bij zonsondergang uitgehongerd verslond op de bank ertegenover. Wat ik met het restant van 3,75 pond deed, weet ik niet meer.

Elke woensdag opnieuw stonden we in het Quaker Meeting House in de rij voor het bureau van de administrateur. Na afdracht van ons geld gingen we aan de lange tafels in de grote ruimte zitten en bespraken we onze immigratie-problemen, maar ook dat we nergens wijnbladeren in olie konden krijgen, en dat er in Engeland nergens fatsoenlijke olijfolie te koop was. Naarmate de weken verstreken werden de discussies over de gedachte achter het Return Fund steeds feller. Vooral Gordana had hierover een uitgesproken mening en wist die overtuigend te formuleren. De andere vrouwen vielen haar maar al te graag bij. Op een dag pakte Gordana een stuk papier en een rekenmachine en telde ze een en ander bij elkaar op. Hoe lang zijn we hier al? Drie maanden. Hoeveel weken is dat? Ruim twaalf. Juist. Om hoeveel vrouwen gaat het? Vijfentwintig. Hoeveel ontvangen ze elke week? 35 pond.

Gordana omklemde de pen alsof het de keel van de admistrateur was. Er werd vol spanning op het resultaat van haar berekening gewacht. De roze punt van haar tong stak uit haar mondhoek en wees omhoog. Toen er eindelijk een bedrag over haar paarse lippen kwam, klonk het als een doodvonnis. De vele moeders slaakten geschokte kreten en klakten afkeurend met hun tong. Hun boosheid nam zichtbaar toe, zoals in cartoons wanneer gezichten van onderaf rood kleuren. De vrouwen bespraken fluisterend wat hun te doen stond, en het duurde niet lang of er ontstond muiterij. Het kleine bureau van de administrateur werd bestormd, en hij werd bestookt met vragen alsof het molotovcocktails waren.

'Waarom moeten we zo veel geld betalen? We krijgen al zo weinig,' vroeg Gordana.

Het gezicht van de adminstrateur drukte verbijstering uit.

'Wat krijgen we ervoor terug?'

De administrateur begon te zweten.

'We willen ons geld terug!'

'Ik ben bang dat ik daar niet over ga... Ik ben hier alleen om...'

'Wie gaat er dan over?' vroeg Gordana fel. Het was alsof ze de woorden uitspuugde. Ze stond met haar handen op haar heupen, en onder haar paarse legging was duidelijk te zien dat ze gespierde billen had. Haar kenmerkende zwarte vlecht riep associaties op met een dreigende zweep. Rada sloeg, elegant als altijd, de strijd vanaf de zijlijn gade.

'Wat is hier aan de hand?'

De vraag was afkomstig van M, die op dat moment binnenkwam.

M was een strenge vrouw, een rijzige, slanke verschijning in een lange broek, haar voeten in gemakkelijke leren schoenen. Ze bekleedde een hoge functie in de organisatie, ook al behoorde ze niet tot degenen die naar Kroatië waren gekomen om ons te halen. Door de vluchtelingen werd M met gemengde gevoelens bekeken. Sommigen beschouwden haar als 'een echte dame, net als prinses Diana', anderen vonden haar 'een vrouw van staal, à la Margaret Thatcher'.

De opluchting van de administrateur toen M binnenkwam was bijna tastbaar. Alsof iemand de strop om zijn nek had doorgesneden. Hij begon gejaagd zijn papieren bij elkaar te rapen.

'Niet zo haastig, meneer de administrateur,' beet Gordana hem toe. Zonder hem aan te kijken sloeg ze met haar vlakke hand op de stapel paperassen die hij bij elkaar had gezocht. Haar blik bleef op M gericht.

In plaatselijke kringen gold M als 'iemand met gezag', en

men ging er automatisch van uit dat ze onder de Bosnische vrouwen dezelfde status bezat. Maar het Bosnische contingent was niet in M geïnteresseerd. In onze bijenkorf was Gordana de koningin. Ze keek M aan, stak een sigaret tussen haar lippen en knipte met haar vingers om een aansteker. De andere vrouwen hingen om haar heen en Rada stond op om Gordana een vuurtje te geven, stralend van verrukking omdat ze op die manier deel had aan het gebeuren.

'Er wordt hier niet gerookt,' zei M ijzig.

'Wie zegt dat?' Gordana kauwde als een gangster op haar kauwgom, nam een lange haal van haar sigaret en blies een enorme rookwolk uit.

'Zo zijn de regels, Gordana. Dat weet je net zo goed als ik. De quakers vinden het niet prettig als er wordt gerookt.'

'O nee? Nou, dan zal ik je eens wat vertellen. De quakers en jij kunnen mijn kont kussen!'

Ze liep met brede, trage stappen naar M toe. Haar dijen stonden strak gespannen, met spieren als stalen koorden, zonder een zweem van cellulitis, zonder een greintje lillend vet. Vlak voor M bleef Gordana staan. Ze nam nog een trek van haar sigaret en blies de rook recht in M's gezicht. Ik had het gevoel dat ik naar een film zat te kijken. M probeerde kalm te blijven, maar begon te hoesten en deed ondanks zichzelf een stap naar achteren. Eén rookwolk, en het was gedaan met haar ijzige kalmte.

'Waarom moeten we geld aan jullie afdragen?'

'Omdat we bezig zijn een fonds voor jullie op te zetten. Om ervoor te zorgen...'

'Bullshit!' zei Gordana. Ik was ervan overtuigd dat ze haar hele leven westerns had gekeken, als voorbereiding op een psychologische krachtmeting als deze. 'Ik vraag het je nog één keer. En nu wil ik een serieus antwoord. Waarom moeten we geld aan jullie afdragen?' Ze keek M zo woest aan dat ik blij was dat ik niet in haar schoenen stond.

'Gordana, als je me niet gelooft, dan kun je het aan Brian vragen.'

'Ik wil het van jou horen. Blijkbaar ben jij hier de baas. Je komt binnen en wilt weten wat er aan de hand is. Nou, dat zal ik je vertellen. We willen ons geld terug.' Ze blies weer een rookwolk in M's gezicht.

Gordana speelde haar rol geweldig. M draaide zich op haar hakken om, smoorde een hoest en liep de deur uit. Alle vrouwen begonnen te juichen en te applaudisseren, want het vertrek van M betekende dat Gordana had gewonnen. Die maakte glimlachend haar sigaret uit en ging zitten. 'We zullen eens zien wie hier de baas is. Hoe durven ze! Om ons met zo'n rotsmoes ons geld af te pakken...'

Er werd een bijeenkomst belegd in het Quaker Meeting House, waarbij ik optrad als tolk. De Engelsen legden uit dat het geld was bedoeld voor onze tickets terug naar huis, waarop de Bosniërs uitbarstten in boegeroep. Daarop probeerden de Engelsen een discussie op gang te brengen, maar ze werden uitgejouwd door de Bosniërs, die een spreekkoor aanhieven: 'Geld terug! Geld terug!' Alsof een voorstelling waarvoor ze kaartjes hadden gekocht was afgelast of ernstig teleurstelde. Na nog wat moeizame pogingen om tot een democratische oplossing te komen, die door de Bosniërs zonder uitzondering werden geboycot, kregen we ons geld terug. Gordana hield toezicht op de uitbetaling door de zwetende administrateur. 'Ach, jij nerveus?' vroeg ze plagend. 'Jij nooit eerder zit naast vrouw?' De administrateur bloosde als een overrijpe perzik. Hij staarde zo ingespannen naar zijn papieren dat ik dacht dat hij oogkramp zou krijgen.

'Wanneer we klaar zijn, gaan we het vieren met champagne!' zei Gordana, en ze schonk hem een verstolen knipoog.

Post van mijn vader

Die eerste maanden in Engeland ontwikkelde ik een vast ochtendritueel: opstaan, de ketel met water opzetten, en dan het koude erf over naar de keuken van Eve, om te zien of er al post was. De Royal Mail werd mijn verbindingslijn met de wereld. Van overal kwamen brieven: uit Noorwegen, Zweden, de Verenigde Staten, Holland, van alle vrienden die net als ik hadden weten te vluchten naar een land dat bereid was hen op te nemen. Nada keek uit naar de wekelijkse brieven van haar vader en haar man. Soms duurde het een tijdje voordat er post kwam, en dan lag er ineens een bergje op de mat. Op die dagen was het feest in huis. Philip legde de post voor me op een stapeltje op de keukentafel.

Nada maakte koffie en de kleine Sasha zat aan zijn ontbijt wanneer ik terugkwam met de post, in mijn koude handen wrijvend terwijl ik de deur achter me dichttrok. Dan gingen we met een dampende kop koffie aan tafel zitten, we koesterden ons in de hoopvolle stralen van de zon en we visten de enveloppen uit de stapel met onze naam erop. Tot mijn verrassing herkende ik op een dag het vertrouwde, hoekige handschrift van mijn vader, waarmee hij zorgvuldig en in grote letters het Engelse adres op de envelop had geschreven.

Mijn vader zat nog in Bosnië en weigerde te vertrekken,

niet in staat weerstand te bieden aan de verleiding van de alcohol. Zíjn vader had ook gedronken, net als mijn oom. Mijn opa stierf lang voor mijn geboorte. Ik heb nooit veel over hem geweten, behalve dat hij lag begraven in Belgrado, ver van huis. Ik herinner me de bomen en de stilte toen ik op mijn zesde zijn graf bezocht, samen met mijn moeder. Mijn oma was een lieve vrouw. Ze droeg jurken van chiffon en had een grote vijgenboom in haar tuin. Ik heb nooit geweten hoe ze zich staande wist te houden met een man die dronk en zoons die alcoholist waren. (Gelukkig had ze ook drie alcoholvrije kinderen.) Ze stierf betrekkelijk jong, dus het bleef haar bespaard te moeten aanzien hoe twee van haar zoons, volwassen mannen, zo veel gingen drinken dat ze nauwelijks meer herkenbaar waren. Mijn oom keek enorm op tegen mijn vader en dronk aanvankelijk alleen om met hem mee te doen, maar uiteindelijk werd hij ook alcoholist. Hij was een aardige man, een slanke verschijning, plezierig in de omgang. Beneveld door alcohol probeerde hij ooit mijn moeder te versieren. Ik zag dat hij onder de eettafel zijn hand op haar knie legde. Mijn moeder reageerde geschokt en duwde zijn hand weg, bang dat iemand het zou merken. Gegeneerd zette hij zijn ellebogen op tafel, zodat iedereen zijn handen kon zien. Het leek een scène uit een film over een disfunctionele familie, waar normen en waarden in verval raakten naarmate het zelfrespect daalde. Dat was voor een deel wat er bij ons thuis gaande was. Sindsdien bekeek ik mijn oom tijdens zijn bezoekjes met een mengeling van genegenheid en weerzin, ook al had niemand zelfs maar een vermoeden van mijn gevoelens.

Mijn vader heeft bijna zijn hele leven gedronken. Maar toen mijn moeder hem leerde kennen, dronk hij niet. Hij had een weddenschap gesloten met een vriend dat hij een half jaar van de drank af kon blijven. Als mijn moeder geen eenentwintig was geweest maar ouder – en wijzer – zou die weddenschap haar op zich al aan het denken hebben gezet. Ze wandelden al pratend door de straten van Mostar, in de zomer omhuld door de geur van de lindebloesem, in de herfst over de lappendeken van bladeren, afkomstig van de platanen. Mijn vader liet zich van zijn brave kant zien en kwam met sommetjes, wiskundige problemen die ze samen probeerden op te lossen. Zodra hij de weddenschap had gewonnen, begon hij weer te drinken. Maar omdat hij nog jong was – begin twintig – beschouwde niemand zijn extreme alcoholverbruik als een probleem. Bij ons in de stad werden alcoholisten gezien als mannen die 'wel een borrel lustten', zelfs als hun huwelijk eraan onderdoor ging, als hun carrière op de klippen liep, en als ze vervuild en stinkend naar urine door vrienden en familie uit de kroeg moesten worden gehaald. De drank vormde net zozeer een onderdeel van het dagelijks leven als het 's zomers buiten eten en de middagwandelingen die het hele jaar door tot de vaste routine behoorden.

Mijn ouders trouwden een jaar na hun eerste afspraakje. Hun trouwfoto toont een knap stel, omringd door familie, Serven aan de kant van mijn vader, Kroaten aan mijn moeders kant. De Serven in Herzegovina wonen voornamelijk in het oosten, de Kroaten in het westen, en ook al is het een betrekkelijk klein gebied, de bekende uitspraak van Rudyard Kipling, '*East is East, West is West, and never the twain shall meet*', is een adequate beschrijving van de relatie tussen de twee bevolkingsgroepen. Het is bekend dat in de Tweede Wereldoorlog de Kroaten in Herzegovina de Serven met zo veel vuur afslachtten dat zelfs de Duitsers en de

Italianen, die in principe achter hen stonden, niet wisten hoe ze een eind aan het bloedbad moesten maken. Op hun beurt gingen de Serven in de jaren negentig de Kroaten en moslims met dezelfde woestheid te lijf.

Het schijnt dat de aankondiging van mijn vader, begin jaren zeventig, dat hij wilde trouwen met een meisje uit het westen van Herzegovina, niet bepaald met gejuich werd ontvangen. Toch was iedereen heel beleefd tegen mijn moeder toen ze aan de familie werd voorgesteld. Aan mijn moeders kant vond eigenlijk niemand het een probleem. Toen het socialistische Joegoslavië werd gevormd, hing mijn oma een foto van Tito naast haar favoriete kruisbeeld, de welgedane, glimlachende, atheïstische maarschalk naast een bloedende Jezus. De etnische monocultuur van mijn moeders familie was jaren eerder al doorbroken toen mijn tante, die zo'n tien jaar ouder was dan mijn moeder, haar moslimgeliefde meenam naar haar geboortedorp en hem voorstelde als 'Stjepan uit Sarajevo'. Ze hadden afgesproken dat hij zich zou presenteren als Kroaat, tot iedereen hem had leren kennen en hem in het hart had gesloten. Pas dan zouden ze zijn ware identiteit onthullen, als zijn innemende persoonlijkheid ervoor had gezorgd dat zijn niet-christelijke achtergrond er niet meer toe deed. Het plan werd echter al op de tweede dag ontzenuwd toen iemand mijn toekomstige oom herkende en hem, waar de hele familie bij was, begroette met 'Hé Mustafa! Wat doe jij in deze contreien?' Gelukkig vond iedereen hem toen al aardig, en mijn tante en oom zouden uiteindelijk meer dan dertig jaar lang lief en leed met elkaar delen.

Volgens mijn moeder dronk mijn vader toen mijn zuster werd geboren, en als hij twee jaar daarna niet naar een afkickkliniek was gegaan zodat hij was komen droog te staan, zou ik er nooit zijn geweest, zei ze. Toen mijn moeder vijf maanden zwanger was van mij, dreigden haar vliezen te breken, en de huisarts schreef voor dat ze de resterende vier maanden het bed moest houden. Niet alleen het leven is onzeker, dat geldt ook voor conceptie en zwangerschap. Een mens moet altijd op zijn hoede blijven. Hoe dan ook, mijn vader was zes jaar nuchter, en dat waren de 'gouden jaren' van hun huwelijk, aldus mijn moeder. In die tijd ontwikkelde ik een sterke band met mijn vader. Op mijn aandringen vertelde hij me voor het slapen gaan over zijn jeugd (vooral hoe hij op zijn zestiende voor sigaretten van de Oude Brug in Mostar was gedoken). Hij leerde mijn zusje en mij salto's maken, hij kocht een boek met yoga-oefeningen en probeerde de hoofdpijnen van mijn moeder te genezen met bio-energie – zonder succes, overigens. In een poging wat verkoeling te brengen in onze kleine, hete flat, die 's zomers wanneer de temperatuur boven de veertig graden steeg, veranderde in een soort dampende, kokende hogedrukpan, bouwde hij een primitieve airco, bestaande uit een ventilator met daaraan een natte doek. (Het had ten dele effect.) Hij haalde dwaze grappen met ons uit, we bedachten een nieuwe taal gebaseerd op het Servo-Kroatisch, maar met een nieuwe betekenis voor bestaande woorden, en hij maakte een luifel voor ons zonnige, zinderend hete balkon die ons tientallen jaren schaduw bood. Toen hij voor het eerst weer naar de fles greep, waren de gevolgen vernietigend.

Omdat hij succesvol carrière had gemaakt als ingenieur, werd hem een project van zes maanden aangeboden in Rusland. Hij vertrok uiteindelijk voor vier maanden, maar kwam eerder terug. Toen mijn moeder en ik thuiskwamen van een avondwandeling – ik was toen zes – troffen we mijn vader in diepe rust bij de voordeur aan. Hij snurkte. Uit de donkere spelonk van zijn opengevallen mond kwam de doordringende geur van wodka. Enkele maanden later kwam mijn vader, op de terugweg van een bruiloft, de achttienjarige dochter van een vriend tegen, en hij bood haar een lift aan. Bijna terug in Mostar viel hij in slaap achter het stuur, de auto raakte van de weg en botste tegen een rots. De dochter van de vriend stierf ter plekke en mijn vader brak zijn schouder. De breuk heelde, maar hij hield de rest van zijn leven pijn bij de geringste weersomslag, waardoor hij telkens opnieuw werd geconfronteerd met een gebeurtenis die hij nooit meer zou kunnen vergeten.

Na het ongeluk kwam de familie van het meisje een maandlang elke dag naar ons huis om te huilen en te rouwen in onze woonkamer, alsof dat hun pijn kon verzachten. Tijdens die bezoeken verstopte mijn vader zich in zijn kamer, of hij ging de deur uit, tevergeefs proberend zijn schuldgevoelens te ontlopen. Mijn moeder zat bij de verdrietige ouders, hulpeloos en verslagen door het verwijt dat ze uitstraalden. Na die maand diende de familie een aanklacht in tegen mijn vader, en hij ging voor een jaar naar de gevangenis van Mostar.

Mijn zuster en ik wisten daar allemaal niets van. Ons werd verteld dat onze vader op reis was voor zaken en dat hij over een jaar terugkwam. Ik schreef hem ansichtkaarten waarin ik hem vroeg om bij zijn terugkeer mijn drie grootste wensen voor me mee te brengen: een schrijfmachine, een fototoestel en een aapje. Ik was geobsedeerd door het geluid van een schrijfmachine, ik wilde foto's maken en ik verlangde naar een huisdier dat ik dag en nacht kon knuffelen. Mijn moeder nam mijn ansichtkaarten mee naar mijn vader, naar de gevangenis buiten de stad.

Toen hij vrijkwam, verschenen de ouders van het dode meisje opnieuw in onze woonkamer, en met hen keerde ook de nachtmerrie terug, terwijl mijn ouders hadden gehoopt dat ze eindelijk met de verwerking daarvan konden beginnen. Pas toen de oudste zuster van mijn vader overkwam en de familie van het meisje zei naar huis te gaan en mijn ouders met rust te laten, kwam er een eind aan de bezoeken. Er werd in ons huis niet over het ongeluk gesproken. Ik hoorde het hele verhaal pas na de oorlog, toen mijn moeder zich versprak, van streek als ze was door alles wat er op dat moment in ons leven gebeurde, en verklapte dat mijn vader in de gevangenis had gezeten. Ik kon me nauwelijks een voorstelling maken van de enormiteit van de schuld, de schaamte en de afkeer van zichzelf die mijn vader moest hebben gevoeld, dingen waarover we nooit hadden kunnen praten en die ik destijds, als kind, ook nooit zou hebben begrepen. Nadat hij uit de gevangenis kwam, draaide het dagelijks leven in ons gezin tot op zekere hoogte rond het drankgebruik van mijn vader, rond het contrast wanneer hij niet had gedronken – dan was hij aardig, grappig, grootmoedig – en wanneer hij dronken was – dan gedroeg hij zich agressief, onzeker en onvoorspelbaar – en rond de schulden die hij maakte omdat hij al zijn geld aan drank uitgaf.

Soms werd hij thuisgebracht als een soort reusachtig postpakket en met een enorme dreun van zijn krachteloze lijf op de drempel gedeponeerd.

Na het uitbreken van de oorlog begon hij nog meer te drinken en stopte hij pas wanneer hij buiten westen raakte. Volgens mijn moeder maakte hij samen met de buren zijn eigen drank, door honderd procent alcohol te mengen met wat kruiden voor de smaak. Ik vroeg me af waarom ze de moeite namen, want zolang ze er maar dronken van werden deed de smaak er niet toe. En blijkbaar werden ze zo dronken dat ze niet eens de schuilkelders wisten te bereiken wanneer het alarm afging. Een van hun vele tactieken om aan drank te komen, was dat ze beurtelings naar een adres gingen waar plaatselijk gestookte alcohol werd verkocht. Maar dat was een heel eind weg, dus je moest met de auto of op de fiets. Wanneer het mijn vaders beurt was, leende hij onze kinderfiets. De laatste keer reed hij op de terugweg een greppel in en brak zijn been. Hij belandde in het ziekenhuis, waar hij noodgedwongen nuchter bleef. Mijn moeder bracht hem de brieven die ik hem in de maanden sinds mijn vertrek had geschreven. En toen begon hij me terug te schrijven. Deze brieven zijn nog altijd het enige wat me inzicht geeft in de gedachten en overtuigingen van mijn vader.

Lieve dochter,
Hoe is het met je? Zijn ze goed voor je, daar in Engeland?
Van je moeder hoor ik dat je heimwee hebt. Alsjeblieft, wees niet zo dom. Het is hier een gekkenhuis.
Er vallen elke dag granaten. Alles wordt stukgeschoten. Wat zou je hier moeten doen? Een paar dagen geleden heb ik geholpen vijf jochies naar het ziekenhuis te brengen. Ze waren op het erf aan het spelen, toen ze werden getroffen door een granaat. Zou je zulke dingen willen zien? Als ik kon, ging ik hier ook weg. Maar welk land zou zo'n idioot opnemen? Ik kan nergens heen.
Laatst ging ik even bij meneer Bosko langs. Ken je hem nog? De kunstschilder bij ons in de buurt? Het

kost hem de grootste moeite om werk te vinden, vertelde hij. Er is niks en niemand meer over om te schilderen. Aanvankelijk sprong hij bij in het ziekenhuis en schilderde hij niet meer. Maar toen kreeg hij last van nachtmerries, vertelde hij, en hij ging de doden en de gewonden schilderen. Hij moest het doen, zei hij. Het zijn schitterende schilderijen. Die ouwe Bosko is een groot kunstenaar. Maar hij is er weer mee gestopt. Hij kon het niet langer opbrengen om naar het ziekenhuis te gaan. Dus hij besloot de stad uit te trekken om landschappen te schilderen, in de hoop dat hij daar wat kalmer van zou worden; dat de natuur hem harmonie zou brengen. Ik ben zelfs een keer met hem meegegaan, maar we werden tegengehouden door het leger. De soldaten stuurden ons terug naar de stad. Het was gevaarlijk om verder te gaan, zeiden ze. Er was een 'gevechtsactie' aan de gang. Dus nu heeft hij een leeg doek aan de muur van zijn woonkamer hangen. Het is net een wolk, zei ik. Misschien inspireert het hem, zegt hij. Misschien vertelt het lege doek hem wat hij moet schilderen. Toen ik bij hem langsging, hebben we wat zitten praten en naar het onbeschilderde linnen gekeken.
Er zijn recent ook onlusten uitgebroken tussen Kroaten en moslims. Verschrikkelijk. Er doen verhalen de ronde over concentratiekampen. Het is vreemd. De Tweede Wereldoorlog lijkt zo lang geleden, maar dezelfde beestachtigheden gebeuren nu opnieuw. De stad is verdeeld. Oom Hojica – je weet wel, hij woont in de oude stad – vroeg of hij hier bij mij kon komen wonen. Zijn familie uit een naburig dorp zit in zijn huis. Ze zijn gevlucht voor het leger, dat hun huizen

heeft platgebrand. Er gaan geruchten dat de soldaten verkrachten, moorden, stelen.

Ik krijg eten van Caritas. Het zit in zakjes. Weet je nog? We hebben het samen ook gegeten. Pakjes met een soort dikke kippenragout en zoute feta. Ik vind het niet prettig om erheen te gaan. Er is altijd strijd en ruzie. Je moet mensen opzij duwen om je portie kip te krijgen.

Jij leidt daar een normaal leven. Kinderen van jouw leeftijd gaan hier niet eens meer naar school. Iedereen zit de hele dag in de schuilkelder.

Het ga je goed, lieverd, en heb alsjeblieft geen heimwee.

Alisa

Toen ik op een dag uit school kwam, mijn jas ophing en mijn sleutels met veel lawaai op de keukentafel gooide, viel er een brief op de grond. Ik raapte hem op. Onder de postzegel met Arabische lettertekens stond in het Romeinse alfabet: Verenigde Arabische Emiraten. Ik scheurde de zachte envelop open en begon te lezen:

Lieve Vesna,
Heb je wel gezien waar deze brief vandaan komt? Uit de Arabische Emiraten! Ik hoor het je denken: hoe komt ze daar in 's hemelsnaam terecht? En inderdaad, het duizelt me nog steeds van alles wat er de afgelopen maanden is gebeurd. Hoe dan ook, nu ben ik hier. Ongeveer anderhalve maand geleden begonnen de problemen tussen Kroaten en moslims. Alle moslims moesten de stad uit, en ze begonnen mensen uit hun huizen te halen. Eenmaal buiten werden ze op een rij gezet en gearresteerd. Mijn ouders en ik werden ook opgepakt, terwijl mijn moeder Servische is! Maar ja, vrouwen tellen blijkbaar niet mee. Gelukkig zat mijn zus op dat moment in Kroatië. Afijn, we werden naar het vliegveld gebracht, naar de hangars. Mannen, vrouwen en kinderen werden gescheiden. Ik was alleen en ik zag dat mijn ouders in paniek naar me lie-

99

pen te zoeken. Ik was doodsbang. Echt, ik ben mijn
leven lang nog nooit zo bang geweest. Toen kwamen
de soldaten. We werden gefouilleerd, ze sloegen mensen terwijl ze vragen stelden, en ze zeiden de afschu-
welijkste dingen tegen ons.

Daarna kwam er een grote, dikke sergeant om de gevangenen te inspecteren. Het was bloedheet, de zon
stond te blikkeren aan de hemel, en we moesten midden op het vliegveld in de rij gaan staan. De sergeant
keek om zich heen en commandeerde toen dat alleen
de mannen moesten blijven. De vrouwen en kinderen
konden weer gaan. 'We maken geen beste beurt bij de
internationale gemeenschap als we vrouwen en kinderen gevangenzetten.' De andere soldaten begonnen
te lachen, en vervolgens lieten ze ons gaan. Mijn moeder pakte me bij de hand en trok me mee. Ze huilde,
en ik keek om me heen, op zoek naar mijn vader. Die
werd een eind verderop een deur binnen geleid, zag
ik. Ik begon te schreeuwen, maar mijn moeder bleef
me meesleuren. Andere kinderen werden met geweren geslagen omdat ze probeerden naar hun vader te
rennen. Dus hield ik mijn mond en keek naar mijn
schoenen. We moesten de hele weg teruglopen naar
de stad. Er leek geen eind aan te komen, en ondertussen sloegen om ons heen de granaten met oorverdo-
vend gedreun in het plaveisel.

Mijn vader zit daar nog steeds. Mijn moeder heeft mij
hierheen gestuurd met de hulp van een vriend van de
familie. Die heeft iets geregeld via een hulporganisatie. Het is een islamitische organisatie, dus ik moet
hier naar de moskee. Ik ben nooit gelovig geweest,
maar ik merk dat bidden me troost biedt. Ik bid

voortdurend voor mijn vader, in de hoop dat het goed met hem gaat.

Het is hier allemaal erg nieuw en vreemd, maar ik ben blij dat ik uit Mostar weg kon. Voordat ik vertrok heb ik je moeder nog gesproken, en die zei dat je heimwee hebt. Niet doen! Het is daar je reinste hel.

Schrijf me alsjeblieft. Ik mis je verschrikkelijk en ik moet heel vaak denken aan alles wat we samen op school hebben beleefd.

Kus,

Alisa

Alisa was een van de laatste vriendinnen die ik nog had gezien voor mijn vertrek uit Mostar. We hadden afgesproken tijdens een periode van rust tussen de beschietingen en rookten stiekem een sigaret achter de bar waar we voor de oorlog altijd naartoe gingen. De bar was dicht en stond er verlaten bij. Alisa was gebleven toen ik wegging, omdat ze – zoals zovelen – dacht dat de oorlog niet lang zou gaan duren.

Joni en Jehovah

'Hallo, ik ben Joni en ik ben een getuige van Jehova.' Er stond een meisje met rood haar voor de deur. Lachend, met uitgestoken hand. Ik had net *A Streetcar Named Desire* zitten kijken en was diep onder de indruk van de betoverend knappe Marlon Brando in zwart-wit en Vivien Leighs aanstekelijke melodrama. Nada en Sasha waren een week naar Londen, om wat nichten en neven te bezoeken die ze heel lang niet hadden gezien. Ik genoot van het alleen-zijn en had absoluut geen zin in bezoek.

'Hallo.' Ik nam haar onderzoekend op. 'Volgens mij zit jij bij mij op school. Klopt dat?'

Ze fronste haar wenkbrauwen. 'Geen idee. Ik geloof niet dat ik je ooit eerder heb gezien.'

'O. Oké. Kom je iets verkopen?' Ik keek naar het stapeltje boeken en tijdschriften dat ze bij zich had, en las de letters ondersteboven: *De Wachttoren.* Is dat een muziektijdschrift?'

'Nee!' Ze keek me ongelovig aan. 'Ik ben een getuige van Jehova.' Ze articuleerde die laatste woorden heel zorgvuldig.

'Wat is dat?'

'Nou, dat is een soort geloof. Het heeft heel veel voordelen om je bij de Jehova's getuigen aan te sluiten. Vind je het goed als ik je er wat meer over vertel?'

Ik liet haar binnen. Terwijl ze haar boeken en tijdschriften op de tafel legde, viel me op dat ze er moe uitzag.

'Ben je vandaag al bij veel mensen aan de deur geweest?'

'Ja. Ik heb de hele buurt gedaan.'

Ik zette koffie en we gingen aan tafel zitten om te praten. Zij vertelde over de Jehova's getuigen en ik luisterde. Het klonk allemaal totaal geschift.

'Sorry, maar ik ben niet geïnteresseerd in je geloof.' Ik deed mijn best om beleefd te klinken. 'Want ik ben atheïst. Ik moet van het geloof niks hebben. Daar komen alleen maar problemen van.'

Ze begreep het, zei ze, maar ze bleef zitten. Dus we kletsten over school, over de leraren en leerlingen, over Penrith en jongens. We waren het erover eens dat Marlon Brando de knapste acteur aller tijden was. Misschien op Johnny Depp na, maar die was van een andere categorie. Ik vroeg of ze *A Streetcar Named Desire* had gezien. Nee, ze mocht van haar ouders geen films kijken die niet over God gingen, vertelde ze. Sterker nog, ze mocht van haar ouders bijna niets, behalve fluitspelen en omgaan met andere Jehova's getuigen. We gingen met een pot thee op de bank zitten en zwijmelden de rest van de middag weg bij de mannelijke broeierigheid van Marlon Brando.

Joni was prachtig om te zien en erg slim. Ze droeg haar lange, sluike rode haar braaf in een paardenstaart. Als ze lachte, werd haar mond zo breed als een schijf watermeloen. We werden vriendinnen. Op school dronken we vaak samen koffie terwijl we het wereldje van Penrith aan ons voorbij zagen trekken. Soms gingen we lunchen in de plaatselijke pub. En soms ontsnapten we naar de duisternis van de bioscoop, of we fietsten over de heiige, drassige velden. Een keer nam ze me mee naar huis en stelde ze me voor aan haar ouders. Stijve, ernstige mensen die me deden denken aan figuren op een victoriaans schilderij. Om haar gêne te verbergen pakte Joni haar fluit. Ik keek goed hoe haar lippen zich krulden om het mondstuk, en ze leerde me geluid te produceren door mijn adem naar beneden te richten.

We lachten, gilden het uit, terwijl het resultaat van mijn armzalige pogingen op de fluit door het huis klonk. Toen verscheen Joni's strenge moeder in de deuropening. In het licht van de gang was te zien dat geen haartje zich had durven losmaken uit haar strakke wrong. Ik zweeg en keek naar haar houten klompen waarmee ze over de plankenvloeren kloste. Joni hield op met spelen en staarde haar moeder aan met angstige hondenogen. Zo had ik haar nog nooit gezien. Haar ogen stonden altijd helder, levendig, intelligent. Maar nu verrieden ze onderdanigheid. Blijkbaar waren dat de ogen van een Jehova's getuige, dacht ik. Vol angst voor het einde der tijden. Voor de dag des oordeels.

'Joni, we gaan bijna eten. Dus als jij en je vriendin beneden komen, kun je helpen met tafeldekken.' Ze had een stem als een klok, die weergalmde tegen de muren. Haar bitse toon gaf me het gevoel dat ze me het liefst zag vertrekken.

'Ja moeder,' zei Joni met haar Jehova's getuigenstem.

De lunch voltrok zich in stilzwijgen, af en toe onderbroken door vragen van Joni's vader over de toestand in Bosnië en wat ik van Penrith vond. Hij vroeg me ook naar mijn geloof. 'Pap!' zei Joni. De zijdelingse blik die hij haar toewierp, sprak vernietigende boekdelen. Ik vertelde hem wat ik ook tegen Joni had gezegd, namelijk dat ik atheïst was en dat het geloof voornamelijk voor problemen zorgde. 'Hm,' was alles wat hij zei. Toen wijdde hij zich weer aan zijn eten, en hij begon opnieuw over school.

Ik ben nooit meer bij Joni thuis uitgenodigd. Sinds die dag hield haar broer haar op school tijdens de pauzes in de gaten, wat betekende dat we niet op dezelfde voet met elkaar konden blijven omgaan. Hij ging ook mee bij haar 'huisbezoeken', dus ze kon niet meer bij me langskomen om met een pot thee op de bank een filmpje te kijken. Ik vond het erg verdrietig.

Toen kondigden Joni's ouders aan dat ze een paar weken weg moesten en dat Joni en haar broer alleen thuis zouden blijven. Dat was nooit eerder voorgekomen en waarschijnlijk zou het ook nooit meer gebeuren. Joni was dolgelukkig. De dag voordat haar ouders vertrokken, kwam ze naar me toe in de schoolkantine.

'Ze gaan twee weken weg!' vertelde ze opgewonden.

'Wow! En ze laten jou alleen? En je broer? Blijft die ook thuis?'

'Ja, maar ik zorg wel dat ik geen last van hem heb. We moeten naar de pub! Ik wil roken en bier drinken. Zeg maar tegen je vriend Paulie – je weet wel, die jongen die zei dat hij me leuk vond – dat hij ook naar de pub komt. Ik wil zoenen. Ik wil met een man naar bed. Dit is mijn enige kans. Het is nu of nooit.'

Ik maakte me zorgen. Onze illegale vriendschap was zojuist nog illegaler geworden. Ik was van een gewone, zij het afgekeurde vriendin bevorderd tot een 'vriendin die gelegenheid gaf' zodat Joni twee weken lang alles kon doen wat God had verboden. Als haar ouders hedonisten waren geweest in plaats van Jehova's getuigen, hadden ze trots op haar kunnen zijn. We gingen naar de pub, we rookten en we dronken Guinness. Joni hield haar sigaret onhandig vast en blies dikke wolken rook uit haar mondhoek. En Paulie werd erbij gehaald – tot zijn verrukking – om Joni in te wijden in de wereld van de vleselijke geneugten.

Haar broer, die haar voortdurend in de gaten hield, zag haar 's nachts om drie uur bij Paulie de deur uit glippen, verfomfaaid en duidelijk rechtstreeks tussen de lakens vandaan. Hij maakte een scène, overigens zonder luidruchtig te worden, aldus Paulie. Nadat Joni's broer een aantal keren nadrukkelijk naar haar warrige net-uit-bed-haar had gewezen, pakte hij haar bij de arm en loodste haar de door dikke eikenbomen omzoomde straat uit. Vervolgens liet ze zich de hele zomer niet meer zien.

De eerste week van het nieuwe schooljaar was ze er niet. Toen ze eindelijk op school terugkwam, vertelde de leraar dat het haar laatste dag was en dat ze naar een andere school ging. Ze zei niets, maar stak wel haar hand naar me op. Ik probeerde niet met haar te praten, want ik had geen idee in hoeverre ze in de gaten werd gehouden en ik wilde haar niet nog verder in de problemen brengen. Later heb ik een paar keer naar haar huis gebeld, maar haar ouders zeiden altijd dat ze 'niet aanspreekbaar' was. Ik ben zelfs een keer naar haar nieuwe school gegaan, in de hoop stiekem met haar te kunnen praten, maar haar broer stond als een soort lijfwacht buiten het hek.

Op een dag vertelde Paulie dat hij haar had zien langskomen, op weg naar school. 'En? Keek ze jouw kant op?' vroeg ik, terwijl ik zijn nieuwe platen inspecteerde.

'Ja, maar die klootzak van een broer zei iets, en toen boog ze haar hoofd. Jammer... Het was een leuke meid. Het had best iets kunnen worden tussen ons,' zei Paulie terwijl de rook van zijn sigaret om zijn gezicht wervelde. Hij zag eruit als een personage uit een politiefilm dat aan een lekkere griet dacht, een soort melancholieke Marlon Brando, alleen lang niet zo ruig en zo knap. Ik kreeg zin in *Streetcar*.

In plaats daarvan schoof ik een plaat van Neil Young om de metalen nippel van de draaitafel en zette de naald op het gladde, zwarte stuk dat de aanloop vormde naar het eerste nummer. We leunden achterover en luisterden ontspannen naar de muziek, waarvan de klanken door het halfopen raam naar buiten dreven.

Op eigen benen

Nadat ik een half jaar met Nada en Sasha had samenge-
woond, arriveerde Nada's man en moest er voor mij een
andere oplossing worden gezocht. Emma, een Engelse do-
mineesvrouw die deel had uitgemaakt van het konvooi,
nodigde me uit bij haar en haar gezin te komen wonen.
Iedereen was het erover eens dat ik nog toezicht nodig had
en te jong was om al op mezelf te gaan wonen. Ik had de
drinkgewoonten overgenomen van mijn vriendenkring op
school en schepte op over het aantal biertjes dat ik op een
avond achteroversloeg. De typische lifestyle die tieners
erop na hielden, was blijkbaar alarmerend wanneer deze
werd omhelsd door een jong, buitenlands meisje zonder
familie. Ik was gepikeerd dat er over me was gesproken alsof ik niet voor mezelf kon zorgen, en ik kwam in opstand.
Ik had niemand nodig. Ik kon – en dat vond ik een heerlijke uitdrukking – op eigen benen staan.

Met de hulp van een van de vrijwilligers in Penrith ging
ik op zoek naar een kamer. We bezochten verschillende
adressen en de keus viel uiteindelijk op een heerlijke zolderkamer in een groot victoriaans huis. Er woonden drie
mannen, maar ik zou de keuken en de badkamer met maar
een van de drie hoeven te delen, want op de begane grond
was nog een keuken en een badkamer voor de andere twee.
Ik sjouwde mijn twee koffers naar boven – een met kleren

en een met de boeken die ik uit Bosnië had meegezeuld – en een paar dagen later besloot ik mijn vrienden uit te nodigen om mijn nieuwe onderkomen in te wijden. Er kwamen er vier. Toen ik naar de keuken liep om drankjes uit de koelkast te halen, kwam ik daar de huisgenoot tegen met wie ik de keuken en de badkamer deelde. 'Hallo, ik ben Mike.' Hij gaf me een slappe hand. Mike was een magere jongen, in zo'n strakke spijkerbroek dat ik er bijna verlegen van werd. Hij had lang vet haar en zei iets over de wasmachine, maar door zijn sterke Schotse accent verstond ik hem niet. Ik had de noordelijke manier van praten inmiddels aardig onder de knie, maar dit was mijn eerste kennismaking met het Schots. Ik glimlachte maar wat en knikte en nodigde hem uit om iets te komen drinken met mij en mijn vrienden. Hij zei weer iets wat ik niet begreep, en ik ging terug naar mijn kamer. Een half uur later kwam hij binnen, met een fles bier waarvan hij beweerde dat het een erg duur en bijzonder merk was.

We raakten aan de praat en hij vertelde dat de reden dat een van de huisgenoten me niet groette – iets wat ik inderdaad had opgemerkt maar waar ik niets over had gezegd – was dat hij medelijden met me had. Mike keek me aan. 'Omdat je een vluchteling bent,' voegde hij eraan toe alsof dat alles verklaarde. Toen keerde hij zich enigszins vijandig naar Paulie, op dat moment een van mijn beste vrienden, in de bizarre en onterechte veronderstelling dat Paulie 'in de bijstand' zat. Rond een uur of één gingen mijn vrienden naar huis. Mike bleef zitten, in een stoel in het midden van de kamer. Ik had hem niets meer te zeggen en ik begon moe te worden, dus ik deed alsof ik honger had. Dan zou hij wel weggaan, dacht ik. Maar hij liep met me mee naar de keuken en keek toe terwijl ik een ei bakte. 'Je eet erg elegant,' zei hij even later. Ik voelde een vlaag van felle weerzin, want ik wilde niet dat hij naar me keek met zelfs maar de suggestie van sensualiteit. Op slag kreeg ik spijt van mijn besluit in dit huis te gaan wonen, en ik begon me ernstig af te vragen of ik inderdaad al op eigen benen kon staan.

Hij nodigde me uit zijn cd's te komen bekijken, een aanbod dat ik met tegenzin accepteerde, bang als ik was hem te kwetsen. Ik had diverse films gezien met psychopaten in de hoofdrol, die een sterke gelijkenis vertoonden met Mike. Het was inmiddels half twee en de rest van mijn huisgenoten lag ongetwijfeld allang op één oor. Mikes kamer hing vol met zwart-witposters uit de jaren tachtig, van vrouwen met ingekleurd ondergoed, achteroverleunend op dikke motoren. Enigszins opgelucht constateerde ik dat zijn voorkeur duidelijk uitging naar vrouwen met weelderige borsten en rondingen. Ik was erg mager, en borsten had ik amper. Waarschijnlijk voor het eerst was ik dankbaar voor mijn jongensachtige postuur. Mike drong erop aan dat ik een nummer noemde uit zijn cd-collectie dat ik leuk vond. Ik koos er willekeurig een uit en zei dat ik naar bed moest. Hij bood niet aan met me mee te gaan.

Op de trap kwam ik een meisje tegen dat beweerde dat haar gouden oorbellen zoek waren. Ze was blijkbaar de vriendin van Andy, de man die in de kamer naast de mijne woonde en die ik nog niet had ontmoet. 'Ik zeg voortdurend dat hij verdomme een slot op zijn deur moet zetten! Maar denk maar niet dat hij naar me luistert.' Ik wilde naar bed, maar ik had geen andere keuze dan haar aan te horen. Vervolgens kwam Mike de trap op, verrukt bij het vooruitzicht van een nieuw slachtoffer dat hij zijn gezelschap kon opdringen. Hij hoorde de tirade van het meisje zwijgend aan en kwam toen – vanuit het niets – met de suggestie dat

Paulie, mijn vriend, de oorbellen wel zou hebben gestolen.

'Wat?' Ik keek hem verbijsterd, ongelovig aan.

'Ja, dat moet wel. Iemand anders kan het niet geweest zijn. Blijkbaar is hij naar Andy's kamer gegaan toen we even niet opletten.'

'Bullshit!' Ik was ineens niet bang meer voor Mike. Ik was boos.

'Helemaal niet! Paulie heeft het gedaan,' hield hij vol. 'Hij heeft die oorbellen gestolen. Kom op, dan gaan we meteen naar hem toe.'

Het was al over tweeën. Maar ik maakte me geen zorgen. Paulie was veel groter en sterker dan Mike en hij zou ongetwijfeld om de situatie kunnen lachen. 'Oké, jij je zin,' zei ik dan ook. 'We gaan naar Paulie.'

Andy's vriendin zei dat ze eerst nog een keer goed ging zoeken. Je wist maar nooit. Terwijl we op haar wachtten, werd er niets gezegd. Mike ijsbeerde de gang op en neer. Uiteindelijk kwam Andy's vriendin terug, mét de gouden oorbellen. 'Ze lagen onder zijn kussen. Dat doet hij wel vaker als hij weggaat. Dan verstopt hij mijn sieraden. Omdat hij bang is dat ik nog naar de kroeg ga.'

Ik ging terug naar mijn kamer, nog altijd boos maar nu ook weer bang. Ik deed de deur op de grendel en zette een stoel onder de kruk, zoals ik dat in films had gezien. Terwijl ik in bed kroop wilde ik dat mijn moeder er was.

Toen ik de volgende ochtend wakker werd stond Mike op de muur van zijn kamer te beuken, die recht onder de mijne lag. Hij draaide het nummer dat ik de vorige avond had uitgekozen, met het geluid op volle sterkte. Ik kleedde me haastig aan en ging naar Paulie, om hem te vertellen dat hij bijna was beschuldigd van juwelendiefstal. 'Was maar gekomen. Dan had ik hem laten kennismaken met mijn ijspriem,' zei hij. Ik begon te lachen, jaloers op zijn onbe-vreesdheid. Na dat incident bleef ik minstens een week bij Paulie, omdat ik me thuis niet op mijn gemak voelde. Toen ik terugkwam, was het koud in huis. Mijn kamer maakte een verlaten, onbewoonde indruk. Ik miste iemand om mee te praten, om mee te eten. Het drong ineens tot me door hoe alleen ik was, buiten de geborgenheid van school en de gebruikelijke, dagelijkse activiteiten. Daar op mijn zolderkamer raakte ik doordrongen van de macht van de eenzaamheid.

Mijn vriendin Suzy, die zichzelf had uitgeroepen tot mijn uitspraaklerares, kwam een paar keer langs en dan kookte ik grote pannen vol aardappelpuree, want ik had geen idee van maten, hoeveelheden. En dat gold niet alleen bij het koken. Toen ik bij Marks & Spencer een beha ging kopen – ik had er maar een, afkomstig uit de kerk in Ken-dal – rekende ik die af zonder hem eerst te hebben gepast. Ik had geen idee van mijn maat, en het kwam niet bij me op dat de beha wel eens te groot of te klein zou kunnen zijn. Vroeger kocht mijn moeder dat soort dingen voor me. Ik had er nooit veel aandacht aan besteed. Gelukkig – een geval van triviale goddelijke interventie? – zat de beha als gegoten. Ik logeerde wekenlang bij Suzy – wanneer ik niet bij Paulie zat – en ontleende troost en geborgenheid aan de warmte van anderen, van een echt gezin, tot ik uiteindelijk besloot dat het tijd werd voor hangende pootjes en ik Em-ma belde om te vragen of haar aanbod nog gold.

Naast de slaapkamers van de kinderen werd een kamer-tje voor mij gemaakt. Het huis lag naast de kerk, net buiten Penrith. Het gezin telde vier kinderen, twee kleintjes en twee tieners. Een van de tieners, Dominic, was van mijn leeftijd en we gingen samen naar school. We draaiden muziek in de garage, we gingen naar de kroeg, de Penrith Pride, en 's avonds laat lieten we het rookalarm afgaan in zijn kamer. Ik kon het me eindelijk weer veroorloven te rebelleren. Dankzij de geborgenheid van een gezinsleven keerde mijn moed terug en kon ik opnieuw mezelf zijn. We maakten lange wandelingen met de hond des huizes, een grappige bastaard, ik fietste op en neer naar Penrith en ik genoot van de zich eindeloos uitstrekkende vrije natuur.

Toen ik mijn spullen van mijn zolderkamer ging halen, kwam Mike aanlopen. Hij ging zwijgend bij de deur staan, en hoewel ik vanuit mijn ooghoeken zijn magere benen kon zien, deed ik alsof ik niets in de gaten had. 'Je gaat weg,' zei hij ten slotte. Ik knikte terwijl ik mijn tekenpotloden bij elkaar raapte en in een van de twee koffers stopte. 'Ik heb mijn moeder gevonden,' zei hij. Ik keek op. Het was misschien de tweede of de derde keer dat we elkaar spraken, en de suggestie van getroebleerde, intense eenzaamheid die hij uitstraalde, maakte me bang. 'Ik ben geadopteerd,' vervolgde hij. 'Maar nu heb ik mijn echte moeder gevonden. Ik heb met haar afgesproken en ik vroeg me af of jij misschien met me mee zou willen gaan.' Ik dankte God – de god tot wie mijn tijdelijke gezin op zondag in de kerk en dagelijks voor de maaltijd het woord richtte – dat ik had besloten weg te gaan. Ik keek Mike glimlachend aan en zei: 'Bedankt dat je het vraagt. Maar ik kan vandaag niet. Misschien de volgende keer. In elk geval veel succes.' Hij knikte en deed een stap opzij toen ik mijn twee koffers naar de trap zeulde. Ik begreep dat Mike, net als ik, verlangde naar een gezin, naar mensen om bij te horen, zelfs al was het maar tijdelijk. En ik had het gevoel dat hij de eenzaamheid in me had herkend; dat die hem op het idee had gebracht dat we verwante zielen waren. De gedachte deed me huiveren.

Toen ik de deur uit liep, zag ik Andy, die dj was, weg-scheuren in zijn bruine auto, de raampjes open, met kei-harde techno op zijn cd-speler. Blijkbaar was dat wat hij het liefste deed: door de stad scheuren met snoeiharde mu-ziek, om verder nergens aan te hoeven denken.

Een getuigenverklaring

Naarmate mijn Engels beter werd, vroegen ze me steeds vaker om te tolken voor vluchtelingen uit het voormalige Joegoslavië wanneer die hun verklaring aflegden in het tijdelijke kantoor van de immigratiedienst van het Lake District. De eerste keer dat ik bij het betonnen gebouw arriveerde, meldde ik me bij de receptiebalie en ging ik op een houten bank zitten. Tegenover me zat een ziekelijk bleke man met grijs haar. Even later verscheen er een vrouw, die ons meenam naar een ruimte waar drie immigratiebeambten naast elkaar achter een tafel zaten, de taperecorder klaar voor gebruik, de pen in de aanslag boven hun notitieblok. We gingen zitten en ik begon te vertalen.

'Mijn naam is A.H. Ik kom uit Mostar. Daar gaf ik les op een basisschool. Twee maanden geleden ben ik gearresteerd. Een groepje soldaten bonsde op mijn deur en vroeg me om mijn papieren. Toen ik die tevoorschijn had gehaald, verscheurden ze alles en zeiden ze dat ik moest meekomen. Ik weet niet wie het waren, maar daar hoop ik ooit achter te komen. Ik ging met ze mee en ze brachten me naar een kelder van een gebouw aan de frontlinie, de lijn die de stad in tweeën snijdt. Daar moest ik me uitkleden, en toen ze mijn kleren hadden doorzocht op geld, dwongen ze me naakt de straat op te gaan. Ik schaamde me. Maar ze zeiden dat ik naar de overkant moest rennen. Ik was bang, want er werd geschoten. Het was een van de gevaarlijkste plekken in de stad. "Als je het niet doet, schieten we je neer," dreigden ze. Als ik daar bleef, maakte ik geen schijn van kans, besefte ik. Door te doen wat ze zeiden, zou ik het misschien overleven. Ik zette het op een rennen. Naakt. Tussen de kogels door. De soldaten in het gebouw aan de overkant hielden op met schieten. Er kwam er zelfs een naar buiten. Ik kan me zijn gezicht niet meer herinneren. Hij gaf me een uniformjas en een broek om aan te trekken. Ik kon geen woord uitbrengen en ik had geen gevoel in mijn benen. Hij moest me aankleden, als een kind.

Toen ik later de andere kant van de stad in liep, zag ik dat er overal honger werd geleden. De mensen waren ten einde raad. Er was niemand bij wie ik terecht kon. Uiteindelijk belandde ik bij vrienden, mensen die ik nog van vroeger kende, ouders van kinderen die ik ooit in de klas had gehad. Mijn vrouw zat op dat moment in Kroatië, en ik zag geen kans contact met haar op te nemen. Ze dacht dat ik dood was, want ze had van de buren gehoord dat ik door gewapende soldaten was afgevoerd. Ik besloot dat ik daar weg moest, dat ik anders krankzinnig zou worden. De enige manier om de stad uit te komen was via de heuvel aan de oostkant, maar die werd zwaar bewaakt. Ik hoorde dat sommigen er toch in waren geslaagd via die route te ontsnappen, maar dat kon alleen 's nachts, onder dekking van de duisternis. Er was een zoeklicht waarmee het leger de heuvel afzocht. Als je werd betrapt, werd je ter plekke doodgeschoten.

Ik vertrok bij het vallen van de avond, met een flesje water aan mijn riem en stukken brood in mijn sokken. Om bij de voet van de heuvel te komen moest ik door straten en stegen die in de gaten werden gehouden door sluipschutters, langs verlaten en stukgeschoten gebouwen, met de stank van tientallen lijken. Misschien van mensen die ook hadden geprobeerd naar de andere kant te komen, bedacht ik. Toen het donker genoeg was, begon ik aan het beklimmen van de heuvel. Zodra het zoeklicht bij me in de buurt kwam, kroop ik weg achter struikgewas. Het kostte me acht uur om aan de andere kant te komen. Ik had het steenkoud, mijn broek was gescheurd en ik zat onder de bloederige schrammen. Toen het licht werd, belde ik een vriend die chauffeur is op een ambulance. Hij beloofde me op te pikken en me de grens over te brengen. Ik deed alsof ik een patiënt in coma was. Op het moment dat de soldaten de deur opendeden om te controleren wie er in de ziekenwagen lag, kreeg ik bijna een hartaanval. Maar ze lieten ons door. Ik viel in slaap, en toen ik wakker werd dacht ik dat ik dood was.

We reden Kroatië in en rond het middaguur arriveerden we bij het huis waar mijn vrouw woonde. Ze viel flauw toen ze me zag, want ze dacht dat ik uit de dood was herrezen, compleet met verband en verwondingen. Ik moest me gedeisd houden, om te voorkomen dat iemand me aangaf. Want in Kroatië was ik ook niet welkom, maar ik was allang blij dat ik het had gehaald. En ik had geld gespaard om hierheen te gaan, naar Engeland, om samen met mijn vrouw asiel aan te vragen.'

Een van de immigratieambtenaren stopte de taperecorder. De andere twee legden hun pen tegen hun lippen en namen H. zwijgend op. De ambtenaar met de taperecorder kwam overeind. 'Dank u wel, meneer H. Ik zal mevrouw Alawi waarschuwen. Die zal u helpen met het invullen van nog wat formulieren.' Ik vertaalde wat hij zei, en H. knikte. Toen de deur open en weer dicht ging, drong vluchtig een golf van kantoorgeluiden de kleine, benauwde ruimte binnen. De mannen achter de tafel begonnen driftig notities te maken, H. ademde hoorbaar.

We kwamen uit dezelfde stad, H. en ik. Als kind had ik gespeeld op de plek waar nu de grens liep en waar hij was gedwongen naakt de straat over te rennen. Er stond daar een witte fontein in de vorm van een bloem, waar aan één kant de blaadjes aan ontbraken. Je kon hem ook zien als een hand, waarvan een paar vingers waren afgehakt. De fontein was een monument voor de strijders die hun leven hadden gegeven in de Tweede Wereldoorlog. Op hete zomermiddagen liepen we er uit school vaak langs, om elkaar nat te spetteren. Eenmaal thuis kregen we zoete watermeloen of frisse komkommersalade. Mijn herinneringen aan die plek waren doordrenkt met de zon van Herzegovina. Vlak bij de fontein was een straat met bars en cafés waar de jeugd rondhing en waar verliefden hoopten elkaar tegen te komen. Nu brachten soldaten er burgers naartoe, ze vernederden en bestalen hen en dwongen hen naakt de straat over te rennen, want anders schoten ze. En dan schoten ze alsnog. Ik kon het niet bevatten, het klopte niet, en ik vroeg me af of daar over vijftien jaar misschien weer kinderen zouden spelen. Of Mostar het verleden zou kunnen vergeten en een nieuwe start zou kunnen maken.

De deur ging open, er kwam een vrouw binnen. 'Meneer H.?' De man stond op. 'Ik ben mevrouw Alawi. Ik zal u helpen met het invullen van wat formuleren.' Ik vertaalde wat ze zei. 'Komt u maar mee,' zei mevrouw Alawi. We volgden haar een lange, smalle gang door.

Verblind

Toen ik nog met Nada en Sasha samenwoonde, kwam Milena uit Birmingham een paar dagen bij ons logeren. Nada en zij waren al jarenlang vriendinnen. Ze hadden elkaar zo'n tien jaar eerder op vakantie in Kroatië leren kennen, en de vriendschap had standgehouden doordat ze elkaar over en weer waren blijven opzoeken in Banja Luka, waar Milena vandaan kwam, en Mostar. Milena was een bruisende jonge vrouw met weerbarstig rood haar en een dreunende lach die de glazen deed rinkelen in de kast. Ze was een paar maanden voor ons naar Engeland gekomen, ook met een konvooi dat was georganiseerd door een plaatselijke vrijwilligersgroep. Toen we die zaterdagmorgen aan onze keukentafel zaten met koffie en sigaretten – een heleboel koffie en een heleboel sigaretten – haalde ze een dubbele krantenpagina uit haar dagboek. 'Hier. Dit moet je eens lezen,' zei ze tegen Nada en mij. Het waren twee artikelen. De krant was een maand oud. De naam zei me niets. Het was een of andere plaatselijke krant uit Birmingham. Ik begon te lezen.

Eric Ericsson, van beroep advocaat, is na een ernstig ongeluk dood aangetroffen in zijn auto. Het vermoeden bestaat dat de heer Ericsson de macht over het stuur is kwijtgeraakt na op een tweebaansweg buiten de bebouwde kom met hoge snelheid een afslag te hebben genomen. Zijn lichaam is gevonden door een agrariër, de heer P.G. Uit het doktersrapport blijkt dat Ericsson is gestorven aan ernstige verwondingen aan het hoofd. Ericsson was getrouwd en had twee dochters.

En op de bladzijde ertegenover:

GELUKKIGE HERENIGING VAN BOSNISCH GEZIN: VROUW REDT MAN UIT 'HEL OP AARDE'

Onder de kop stond een foto van een lachende vrouw, Yelena Yelenovich, naast een uitgeput ogende man, duidelijk ouder dan zij. Yelena vertelde het verhaal van haar verschrikkelijke reis en verklaarde dat met liefde en toewijding niets onmogelijk was.

Er stond nog een foto bij het artikel, van een concentratiekamp in de omgeving van Banja Luka: uitgemergelde mannen achter een omheining van prikkeldraad. 'Ja, daar hebben we al eerder foto's van gezien. Het is vreselijk, te erg voor woorden!' zeiden Nada en ik.

Milena knikte. 'Ja, maar wat jullie niet weten: Eric Ericsson is de man die ons hierheen heeft gehaald. En Yelena Yelenovich is een goede vriendin van me. Bovendien had ze een verhouding met Ericsson, tot de dag dat ze haar man wist vrij te krijgen en Ericsson dodelijk verongelukte. Is het niet vreemd? Hun verhalen tegenover elkaar in de krant?'

We wisten niet goed wat we ervan moesten denken, maar Milena vertelde verder. 'Die verhouding begon bijna meteen na Yelena's aankomst in Engeland. Er werd druk over geroddeld, ook al wist niemand precies wat er aan de hand was – behalve ik. Wat Yelena betrof was het alleen voor de seks. Ze heeft nooit echt van Eric gehouden. En toen kwam haar echtgenoot in het kamp terecht. Eric heeft haar geholpen naar Bosnië te gaan en hem vrij te krijgen, zonder dat het gevolgen had voor haar asielaanvraag. Het leidde tot grote onvrede in de Bosnische gemeenschap. Er waren heel veel mensen die terug wilden om hun gezin op te halen, maar iedereen was bang dat daardoor hun aanvraag zou komen te vervallen.' Milena zweeg even. 'Het ergste was dat ik Ericssons assistente was op zijn werk. In Bosnië was ik juridisch secretaresse geweest, dus ik had hem gevraagd of ik een paar uur per week bij hem mocht komen werken, zodat ik de terminologie kon leren. Dan had ik iets om op mijn cv te zetten tegen de tijd dat ik hier officieel aan de slag kon. Dus zo kwam het dat ik alles heb gezien – en wat ik niet zelf heb gezien, dat heb ik van hem, of van haar, gehoord.

Ik zie hem nog in zijn kantoor zitten, een paar dagen voor zijn dood. Zijn raam keek uit op een straat met kinderhoofdjes, en Eric Ericsson zat daar maar en staarde uren naar buiten. Hij was een lange, magere man, ergens rond de vijftig. Zijn leven veranderde ingrijpend nadat hij ons had geholpen hierheen te komen. Terwijl hij daar zat, in zijn kantoor, moet hij de avond hebben vervloekt dat hij besloot het konvooi te organiseren. Hij vertelde me ooit dat hij op het nieuws mensen had gezien die hun huis uit vluchtten, huilende kinderen, vlammen die in de nacht uit brandende gebouwen laaiden, als het haar van zijn vrouw in de wind. Hij was naar buiten gelopen, de ijzige achtertuin in, en had een paar keer diep ingeademd tot zich kleine ijspegels vormden in zijn baard. Maar niets kon het vuur doven van zijn vastberadenheid. Dat was hoe hij het formuleerde. Ik bewonderde hem om zijn gedrevenheid. Uiteindelijk heeft hij ervoor gezorgd dat ons leven een dramatische wending kreeg. Trouwens, dat gold ook voor zijn eigen leven.

Hij vertelde graag over de ochtend nadat hij het besluit had genomen. Wanneer ik bij hem kwam, bijvoorbeeld om hem papieren te brengen waar hij om had gevraagd, bood hij me een kop thee aan. Dan ging ik zitten en ik luisterde terwijl hij vertelde hoe hij die ochtend de trap op was gestormd naar zijn kantoor en contact had gezocht met diverse hulporganisaties, met zijn overheidsvertegenwoordigers, en hoe hij een aantal interviews had geregeld en flyers had geprint.

HELP DE BOSNIËRS

HULPORGANISATIE ZOEKT VRIJWILLIGERS

VOOR MEER INFORMATIE: ERIC ERICSSON

IEDEREEN IS WELKOM

Hij had die door de hele stad aan lantaarnpalen geplakt en op memoborden in winkels zoals Safeway en bij Oxfam geprikt. De volgende dag stak een van zijn assistenten haar hoofd om de deur met de mededeling dat er mensen waren die hem wilden spreken over de hulpactie voor Bosnië. Die laatste woorden met een licht meewarig fronsen, alsof ze dacht dat het om een vergissing ging. Daarop had Ericsson een reeks bijeenkomsten georganiseerd, gevolgd door acties om fondsen te werven, en uiteindelijk ging hij samen met acht anderen aan boord van twee gehuurde bussen en reden ze naar het voormalige Joegoslavië. Ze zouden alleen vrouwen en kinderen meenemen. De mannen kregen geen toestemming het land te verlaten.

Hij zag haar meteen, vertelde hij. En dat verbaast me niets. Yelena is een aantrekkelijke vrouw, ergens halverwege de veertig, tenger, een soort elfje, met kleine, stevige borsten. Ze heeft een stralende glimlach. Het soort glimlach waar mannen dol op zijn. In Banja Luka had ze de mannen voor het uitkiezen, en hoewel ze het heerlijk vond om te flirten, deed het haar verder niks. Ze hield van haar echtgenoot. Hier lag dat anders. Eric was goed voor haar en hij hielp haar de oorlog en alle narigheid te vergeten en gaf haar weer vertrouwen in het leven. Ze moest helemaal alleen voor haar kinderen zorgen – drie jongens tussen de elf en de vijftien – dus een romantisch avontuurtje was maar al te welkom. Maar voor hem lag het anders. Hij werd er volledig door beheerst. Zijn huwelijk bestond alleen nog op papier, ook al woonden zijn vrouw en hij nog wel bij elkaar. Hij was diep onder de indruk van Yelena's kracht, vertelde hij, van haar vrolijkheid ondanks alles wat ze had meegemaakt. Alleen, in werkelijkheid was ze helemaal niet zo vrolijk. Maar met Ericsson praatte ze niet echt over haar problemen. Hij vormde een afzonderlijk deel van haar leven, een deel waarin ze even al het andere kon vergeten. Haar man was noodgedwongen achtergebleven in Banja Luka. Hij was moslim, en Yelena maakte zich grote zorgen over hem. Vanhier was er echter niet veel wat ze kon doen. Ze belde hem een paar keer per week op een mobiele telefoon van een stel criminelen die grof geld verdienden door krankzinnige bedragen te rekenen voor inkomende telefoontjes. De verbinding was slecht, vol galm en gekraak, en ze moesten bijna alles twee keer zeggen. Het was voor hen allebei een kostbare aangelegenheid, maar ze moesten op de een of andere manier zien dat ze met elkaar in contact bleven. De vaste telefoonverbindingen waren al maanden buiten werking.

Voor Ericsson was het liefde op het eerste gezicht. Toen ze eenmaal op het parkeerterrein van een tankstation stonden, had hij het liefst in de bus naar boven willen rennen om Yelena Yelenovich in zijn armen te nemen en haar te ontvoeren, weg van alles. "Dat heb je ook gedaan! Je hebt haar ontvoerd, weg van alles," zei ik. Maar hij bedoelde natuurlijk dat hij met haar alleen wilde zijn. Hij leek wel een tiener. Zo verliefd. Alsof het zijn eerste keer was. Alsof hij nooit door de liefde was bezeerd. Terwijl hij verder zo'n rustige, verstandige man was. Eenmaal hier kwam Yelena bijna elke dag bij hem langs op kantoor. Ze wist dat ze dat veilig kon doen, omdat ik er ook was en niemand er ooit achter zou komen. Hij liet haar kennismaken met Earl Grey. Yelena vond het meteen lekker. Ze kwam ongezien binnenwippen, klopte zachtjes op zijn deur, en dan dronken ze koffie en thee, met lekkers dat zij meebracht. Dat maakte ze allemaal zelf. Kaneelkrullen, chocoladetruffels, amandelknabbels, je kunt het zo gek niet bedenken of zij kan het maken. Heerlijk! Ze praatten over boeken, over het leven, over hun gezin. Hij vertelde haar over zijn dochters en dat zijn leven zo leeg was sinds die het huis uit waren. En dat hij ook veel verdriet van ze had. Rachel was getrouwd met een Hell's Angel en Fiona, de jongste, had zich ontwikkeld tot een lesbische mannenhaatster. Hij had geen enkel contact meer met ze en zag ze alleen met Kerstmis. Dan kwamen ze thuis en brachten ze samen twee moeizame dagen door als gezin. "Dat is altijd zo traumatisch. Het duurt tot Pasen voordat we er weer een beetje overheen zijn," zei hij, en daar moesten ze allebei om lachen. "Mijn vrouw en ik zijn uit elkaar gegroeid," vervolgde hij. "We praten niet meer. Tenminste, niet zoals dit." Yelena glimlachte, duidelijk in verlegenheid gebracht, en hij ging er niet verder op door.

Op een dag nodigde hij haar uit voor een ritje naar een bos buiten de stad, waar artiesten sculpturen maakten in harmonie met de natuur. Hij wilde haar het werk laten zien dat verscholen tussen de bomen stond. Haar kinderen zaten op school, en ze zouden terug zijn voordat de laatste bel ging, had hij beloofd. Hij had een bundeltje bij zich met gedichten van T.S. Eliot. Dat had hij in een boekwinkel vlak bij zijn kantoor gekocht. Ze reden met een rustig gangetje naar het bos. Zodra hij de auto bij de ingang had geparkeerd, pakte hij haar hand en zei: "Doe je ogen dicht. Ik heb een cadeautje voor je." Ze gehoorzaamde en hij drukte het dichtbundeltje in haar handen. Het boekje was glibberig van het zweet. Zo nerveus was hij. Met haar ogen nog altijd gesloten betastte ze het boekje. Toen boog Ericsson zich abrupt naar haar toe en kuste haar. Ze bedreven de liefde in het bos, tussen de esdoorns, op een geheime plek die hij kende. Nog diezelfde dag kwam ze bij mij, om te vragen of ik het dichtbundeltje voor haar wilde bewaren, omdat ze bang was dat iemand het anders zou zien en er vragen over zou stellen.

Bijna acht maanden na het begin van hun verhouding zat Eric Ericsson in zijn kantoor naar buiten te kijken, naar de straat onder zijn raam. Het had de hele dag geregend en het water stroomde over het glinsterende trottoir de goot in. Yelena was eerder die dag bij hem geweest. Haar man was overgebracht naar een concentratiekamp, had ze gehoord. Ze vroeg Ericsson om hulp, want ze wilde terug naar Bosnië, om te proberen haar man vrij te krijgen en hem mee terug te nemen naar Engeland. In het kamp werden de gevangenen behandeld als beesten, vertelde ze. En ze was doodsbang dat haar man het niet zou overleven. Zij was de enige die hem eruit kon halen. Ericsson hoefde alleen maar contact op te nemen met Binnenlandse Zaken, om te regelen dat ze terug kon zonder dat haar asielaanvraag daardoor kwam te vervallen. Bovendien moest Ericsson ervoor zorgen dat haar man op haar aanvraag kon worden bijgeschreven.

"En hoe moet het dan met ons?" vroeg hij. Ze nam hem zwijgend op, en even zat ze zo roerloos dat het leek alsof ze niet meer ademde. Ten slotte zei ze: "Maak je geen zorgen, we kunnen elkaar blijven zien." Hij had het gevoel dat zijn hele wereld instortte. "Ik zal kijken wat ik kan doen. Kom over een paar dagen maar terug." Toen stond hij op, liet zich voor haar op zijn knieën zakken en ze vrijden op de kleine bank die hij in zijn kantoor had staan voor cliënten.

Op het moment dat Yelena de vraag stelde, was het hem duidelijk geworden dat ze niet van hem hield, vertelde hij me later. Maar hij hoopte dat ze van gedachten zou veranderen als hij haar hielp. "Eric," zei ik, "de enige man van wie Yelena Yelenovich houdt is haar echtgenoot." Ik vond dat ik eerlijk moest zijn. Het had geen zin hem valse hoop te laten koesteren. "Maar wat doet ze dan hier, bij mij? We zijn zo gelukkig samen. Dat moet toch iets betekenen?" "Ericsson, de mens is als een artisjok," zei ik. "Onder elke laag zit weer een andere." Hij keek zwijgend uit het raam, alsof hij daar hulp verwachtte, iets wat ongedaan zou maken dat Yelena Yelenovich nooit van hem zou zijn zoals hij dat wilde.

Ik weet nog dat hij Binnenlandse Zaken belde. En daar bewonderde ik hem om. Tenslotte wist hij dat hij de vrouw die hij liefhad, definitief zou verliezen door haar te helpen haar man naar Engeland te halen. Er werkte op Binnenlandse Zaken een oude vriend van hem. Hij kende Yelena. Ericsson en zij waren een keer een weekend naar Londen geweest en hadden toen met hem geluncht. Yelena's kinderen waren op schoolreisje, dus ze had van de gelegenheid gebruikgemaakt om er even tussenuit te gaan.

Ericsson legde in korte bewoordingen de situatie uit. "Kun jij ervoor zorgen dat ze erheen kan en dat ze haar man mee terug kan nemen zonder dat haar asielaanvraag komt te vervallen?" vroeg hij. Ik zag aan zijn gezicht hoe moeilijk hij het vond. Zodra hij het gesprek had beëindigd, koos hij het nummer van Yelena Yelenovich. "Mijn contactpersoon op Binnenlandse Zaken zegt dat het kan." Ze zei dat ze naar hem toe zou komen. Ericsson wachtte, roerloos in zijn stoel, niet in staat zich te bewegen. Enerzijds verlangde hij naar haar en keek hij ongeduldig naar haar uit, anderzijds wilde hij haar nooit meer zien.

Toen ze naar Bosnië vertrok, hadden ze geen contact. De weken kropen om, traag als vijfhonderd jaar oude schildpadden. Ericsson kwam amper zijn kantoor uit, bang haar telefoontje mis te lopen. Elke dag vroeg hij: "Heb je al iets van Yelena gehoord?" En dan zei ik: "Nee, en dat verwacht ik voorlopig ook niet." Eén keer belde ze. Het was een onbeschrijfelijke chaos in Bosnië, zei ze, en ze vertelde dat ze bezig was links en rechts mensen om te kopen om te proberen haar man vrij te krijgen. Maar het viel niet mee. Ik hoorde aan haar stem hoe wanhopig ze was, hoe radeloos, en ik vroeg me af of ze het emotioneel zou overleven. Ik heb Ericsson nooit iets van dat telefoontje verteld.

Ze belde opnieuw toen ze eenmaal terug was op Engelse bodem. Ik zat op kantoor. Het was haar gelukt haar man vrij te krijgen. Hij was er vreselijk aan toe. Voordat ze het gesprek beëindigde, zei ik dat ze met Ericsson moest praten. "Hij is wekenlang zijn kantoor niet uit geweest, Yelena. Hij gaat alleen naar huis om te slapen. Omdat hij hoopt dat je belt." "Ik kan hem nu niet te woord staan," zei ze in eerste instantie, maar toen zei ze: "Goed. Verbind me maar met hem door." Ik belde Ericsson om te zeggen dat Yelena aan de lijn was, en ik stelde me voor dat hij bevend achter zijn bureau zat bij het horen van haar stem.

"Eric?" zei ze. "Hallo?"

"Yelena! Wat klink je kalm. En duidelijk. Ik heb je zo gemist."

Ik zat nog altijd met de telefoon aan mijn oor, want ik kon de verleiding niet weerstaan om mee te luisteren.

"We zijn er," zei Yelena. "Het was verschrikkelijk, maar hij leeft nog. Ik zie je gauw. Dank je wel."

"Ik zie je gauw? Wat bedoel je? Wanneer?" Hij was verbaasd over de klank van zijn eigen stem en voegde er haastig aan toe: "Sorry, het was niet mijn bedoeling om tegen je te schreeuwen. Alleen... ik heb zo lang op je telefoontje gewacht."

Ze zei niets.

"Wanneer ben je terug?" vroeg hij.

"We blijven vannacht in Londen. Morgenochtend nemen we de vroege trein. Ik moet ophangen. Dag."

"Yelena..." Maar ze had al opgehangen.

Pas uren later kwam Ericsson zijn kantoor uit. Hij ging naar haar toe, zei hij, om haar te dwingen een keuze te maken. "Dat zou ik zeker niet doen," zei ik. "Je kunt haar beter even de tijd geven. Ze heeft erg veel meegemaakt." Maar hij ging toch. De volgende morgen zat hij al om zeven uur 's ochtends voor haar huis. Ze kwam pas tegen de middag. Ik vraag me af of Ericsson verrast was bij het zien van haar man. We zijn altijd jaloers op mensen van wie we denken dat ze er beter uitzien dan wij, mensen die ons in welk opzicht dan ook de baas zijn. Yelena's man zag eruit als een wandelend lijk. Ze heeft me verteld hoe het is gegaan. Ericsson zat in zijn auto, vlak bij haar huis. Maar ze liep langs hem heen en negeerde hem. "Ik had hem daar niet verwacht," zei ze. "Hij maakte me bang. Natuurlijk, we hebben een verhouding gehad, en hij liet me ook niet onverschillig. Maar teruggaan naar Bosnië was zo hartverscheurend. Ik voelde me vreselijk schuldig en ik schaamde me verschrikkelijk."

Toen Yelena Yelenovich de deur van haar huis opendeed, kwamen de kinderen haar tegemoet. Ze hadden op de uitkijk gestaan en vielen hun vader om de hals. Yelena ging weer naar buiten, met de smoes dat ze even naar de winkel moest. Ze liep naar de auto van Ericsson. "Wat doe je hier?" vroeg ze zacht. Zijn ademhaling ging snel. Hij pakte haar hand, zijn vingers omklemden de hare als een bankschroef. "Ik wilde je zien. Ik heb de hele nacht geen oog dichtgedaan. En ik sta hier al sinds vanmorgen zeven uur."

"Waarom? Wat wil je van me?"

"Ik hou van je. Ik wil dat je bij me bent. Ik wilde je laten zien dat ik er nog ben. Want ik was bang dat je me zou vergeten."

Hij was zielig, beklagenswaardig, zei Yelena. Het was afschuwelijk. Zijn verlangen naar haar vervulde haar met weerzin.

"Eric, ik kom net terug uit de hel. Begrijp je dat dan niet? Je gedraagt je als een puber. Dit is niet het moment voor dramatisch gedoe. Ik heb mijn man mee teruggenomen, en hij heeft verschrikkelijk geleden."

"Ga met me mee!" zei Ericsson. "Kom. Dan gaan we naar het bos, waar we voor het eerst hebben gevrijd."

"Je bent gek," zei ze. En daarmee was het afgelopen. Ze liep naar binnen en trok de deur achter zich dicht. Hij reed weg, verblind door een onbeantwoorde liefde.'

De vrachtwagenchauffeur

Het was inmiddels augustus 1993, negen maanden nadat we in Engeland waren gearriveerd. Het leek er steeds meer op dat ons verblijf voor onbepaalde duur was, en mijn moeder maakte zich zorgen omdat ze me nog te jong vond om op mezelf te gaan wonen – ik was nog altijd pas zestien – maar het leek haar ook niet juist als ik langer dan een paar maanden bij een ander gezin verbleef. Mijn vader heeft geen moment overwogen om uit Mostar weg te gaan, de stad waarmee hij als door een navelstreng was verbonden, maar die zomer besloot mijn moeder naar Engeland te komen, zodat ze bij mij kon zijn. Ondanks alles ging ze nog steeds uit van dezelfde veronderstelling als wij allemaal, namelijk dat de rust spoedig zou weerkeren, en dan konden we samen terug naar huis. Toen ze me het nieuws vertelde, wilde ik niets liever dan haar van het vliegveld halen. Het vooruitzicht dat ik mijn moeder zou weerzien gaf me een sterk gevoel van bevestiging, alsof ik simpelweg door haar aanwezigheid weer greep zou krijgen op mijn leven. Naarmate ik langer in Penrith was en mijn leven steeds verder afweek van het bestaan dat ik in Bosnië had geleid – zonder de vrienden van vroeger en met bijna niemand die mijn eigen taal sprak – begon ik te twijfelen aan mijn herinneringen, aan mijn identiteit. Soms, wanneer ik in bed lag in mijn geïmproviseerde kamertje in de pastorie, probeerde ik me mijn kamer in Mostar voor te stellen, de boeken in de kast, de schilderijen aan de muren, de geur van mijn bed, de geluiden van buiten. Ik probeerde me elke keer andere details te herinneren, zodat mijn verleden niet door mijn huidige bestaan zou worden uitgewist.

Ik had niet genoeg geld voor de bus of de trein om mijn moeder van Heathrow te gaan halen, dus mijn vriend Johnny regelde een lift voor me naar het zuiden, met een vriend van hem die vrachtwagenchauffeur was. Ik vond het een geweldig idee, maar ik schrok een beetje toen Johnny me vertelde dat zijn vriend me ergens langs de kant van de weg zou afzetten, op een plek vanwaar ik 'moeiteloos bij de metro' zou kunnen komen; hij gebruikte het Franse woord omdat hij bang was dat ik niet zou weten wat *underground* betekende.

Ik had Johnny leren kennen tijdens de reis vanuit Split. Hij bestuurde een van de bussen van ons konvooi, maar in het dagelijks leven was hij vrachtwagenchauffeur. Een korte, stevig gebouwde man met een vriendelijke glimlach en een snor die fraai krulde. Toen ik in Split bij hem in de bus stapte, gaf hij me grijnzend een knipoog. Ik leek hem een lief kind, zei hij later. En dat terwijl ik eruitzag alsof ik rechtstreeks uit een concentratiekamp kwam. Ik had mijn haar met amateuristische willekeur ultrakort geknipt, 'uit protest tegen de oorlog', en dankzij het eten in de gaarkeukens van Kroatië was ik broodmager, om niet te zeggen uitgehongerd. De keukens, die werden bemand door medevluchtelingen en gefinancierd door Caritas, hadden een menu dat elke drie dagen roteerde: macaroni met kaas, schimmelige salami met brood, en tomatensoep uit blik met brood. We keken altijd uit naar de macaroni met kaas.

Om het hongergevoel te bestrijden dronken we voor en na het eten een glas water.

Soms gingen mijn beste vriendin en ik na het eten naar de winkel en dan pikten we een blikje kippenpaté. We hadden geen geld, maar wel honger, en bij de gaarkeuken hadden we onze zakken volgepropt met brood (dat was er altijd meer dan genoeg). Op die manier vulden we onze lunch aan met plakken donker brood die we dun besmeerden met paté. Heel soms – en dat was echt verwennerij – hadden we ragdunne plakjes komkommer om erop te doen, waardoor het minder droog was. Al etend keken we dan vanaf ons kleine balkon naar de zee en de zonsondergang.

Johnny en ik werden vrienden toen ik in Penrith regelmatig bij hem over de vloer kwam en naar zijn verhalen luisterde. Soms alleen, soms met Nada en Sasha. Dan liet hij Sasha met zijn videocamera spelen. We zaten op de grond aan zijn koffietafel, hij in een mouwloos wit T-shirt, waaronder zijn zwaarbehaarde borst en rug duidelijk te zien waren, en dronken bier uit blik. Hij had een bierbuik, alsof hij zes maanden zwanger was. Onder de witte katoen was de donkere cirkel van zijn navel zichtbaar, als een gootsteenputje.

Ik vond het erg opwindend om naar Londen te gaan en op de dag van de reis vond ik alles geweldig, zelfs de worsteling om in de cabine van de vrachtwagen te klimmen. Ik had nog nooit zo hoog gezeten, behalve in de dubbeldekker die ons naar Engeland had gebracht. Maar deze reis voelde persoonlijker, ik had meer het idee dat ik dingen in de hand had (ik wist tenminste waar Londen was) en de aanleiding was een gelukkige. De cabine van de vrachtwagen maakte een huiselijke indruk, met foto's van vrouw en kinderen aan de wand en op de grond een piepkleine waterkoker om thee te maken.

Johnny's vriend Neil, de vrachtwagenchaffeur, was een kleine, kale man. Hij had eindeloos geduld met mijn slechte Engels. Op een cassetterecorder die enigszins wankel met dik bruin plakband op het dashboard was bevestigd, draaide hij Schotse volksmuziek. We stopten regelmatig bij chauffeurscafés, waarvan de meeste er hetzelfde uitzagen: stoelen en muren in de roodbruine kleur van barbecuesaus en slasauswitte tafels. De chauffeurs kwamen glimlachend binnen en begroetten hun eenzame collega's, de ridders van de weg, met een joviale klap op de blote schouder of een krachtige, om niet te zeggen pijnlijke handdruk. Ze verslonden het vette eten, praatten honderduit, over dingen waar ik niets van begreep. Ik neem aan dat ze ervan genoten informatie uit te wisselen over de weg, wat ze waren tegengekomen en wat ze op de radio hadden gehoord. Er heerste een plezierig gevoel van saamhorigheid, en ik stelde me voor hoe eenzaam ze moesten zijn wanneer hun wegen zich weer scheidden.

Tijdens de rit was het mijn taak om de cassette om te draaien wanneer die was afgelopen. Dat wat nog niet zo eenvoudig, want de knop met PLAY ontbrak. Er zat alleen nog een klein metalen pinnetje dat in mijn vinger prikte. De cassetterecorder produceerde een blikkerig geluid, maar dat vond Neil niet erg. Hij kende alle nummers en zong vrolijk mee, hoog jodelend en laag koerend. Hij was zo klein, vertelde hij, omdat hij als kind ziek was geweest, waardoor hij in zijn groei was belemmerd.

'Wat is "belemmerd"?' vroeg ik.

'O, dat betekent dat je groei wordt afgeremd.' (Ik wist ook niet wat 'afgeremd' betekende, maar werd op dat moment te zeer in beslag genomen door 'belemmerd'.)

'Mijn moeder is 6,5,' vervolgde hij. 'Mijn vader 6,7, mijn zuster 6,1 en mijn broers zijn allemaal 6,7. Mijn vrouw is 6,3 en mijn zoon... o, die is al bijna 6,4.' Zijn opsomming werd begeleid door doedelzakken.

'Wat is 6,5 in centimeters?' vroeg ik.

'O, da's een moeilijke, pop. Ik heb geen idee. Drie meter?'

Ik stelde me zijn familie voor als reuzen.

'Dat kan niet. Mensen kunnen helemaal niet zo lang worden,' zei ik in mijn beste Engels.

'Toch is het zo! Ze zijn echt zo lang!' Hij keek smachtend naar de weg die zich voor hem uitstrekte, ongetwijfeld wensend dat hij langer was. 'Als jij nou eens een lekkere kop thee maakt, pop. De ketel staat daar,' zei hij toen, alsof thee zijn verdriet kon verzachten.

Ik reikte naar de kleine smerige ketel op de grond, voorzichtig om me niet te branden aan het kokende water. Ik dacht aan mijn moeder. Zou ze erg veel ouder zijn geworden? Wat zou ik zeggen als ik haar zag? Iets onnozels? Zou ik moeten huilen? Door het grote raam leek de weg extra breed en de hemel was grijs met stukken blauw.

Toen we in de buurt van Heathrow Airport waren, stopte Neil langs de weg en namen we afscheid. Ik weet nog dat ik zei 'Ik vind je vrachtwagen geweldig!', uitbundig als ik was dankzij het naderende weerzien met mijn moeder, waardoor alles even heerlijk leek. 'Pas goed op jezelf, pop,' zei hij, en ik kon horen dat hij het meende. *Pas goed op jezelf.* Het waren woorden die bleven hangen wanneer iemand ze uitsprak. Mijn moeder en ik zouden bij vrienden van de familie in Londen logeren. Neil zag ik nooit meer.

De grote kolos van de vrachtwagen hobbelde de weg af,

en ik liep naar het vliegveld, het luchthavengebouw binnen. Toen ik mijn moeder zag aankomen, verbaasde het me dat ze niet honderd jaar ouder leek dan toen ik haar voor het laatst had gezien. Ik had nog even overwogen om zogenaamd zwanger te komen, bij wijze van grap omdat we elkaar negen maanden niet hadden gezien. Negen maanden, waarin een nieuw leven had kunnen groeien. Trouwens, dat was ook precies wat er was gebeurd, zij het niet letterlijk. Ik had het idee echter onmiddellijk weer verworpen, maar vertelde het aan mijn moeder toen we eindelijk uitgezoend waren. De tranen die over mijn wangen stroomden, hadden een zoute smaak.

Kama Sutra *op z'n Bosnisch*

De beste vriendin van mijn moeder, die een jaar eerder dan ik met een ander konvooi naar Engeland was gekomen, woonde in Exeter, en negen maanden na mijn aankomst verhuisde ik daarheen. Ik was nog jong, dus ik zou gemakkelijk weer ergens wennen en een nieuwe vriendenkring opbouwen. Daar waren we het over eens. Vandaar dat we vertrokken naar Exeter, in Devon. Verder zuidelijk ten opzichte van Penrith was nauwelijks denkbaar. We zaten vier weken bij de vriendin van mijn moeder in huis, tot we een appartement voor onszelf vonden, in een kleine straat met hoog oprijzende essen. De eerste maanden in Exeter waren zwaar nadat ik, gedwongen door de omstandigheden, opnieuw afscheid had moeten nemen van een dierbare vriendenkring. Ik zat 's avonds uren voor de televisie en keek naar *Prisoner: Cell Block H*. De stad voelde vreemd, de straten lagen er na het vallen van de avond verlaten bij. Mijn moeder en ik gingen overdag vaak wandelen, en dan zag ik de plaatselijke bevolking wantrouwend naar ons kijken wanneer ze ons hoorden praten in onze eigen taal. Terwijl ik me in Penrith geïntegreerd en op mijn gemak had gevoeld, was ik hier opnieuw een vreemde, iemand die totaal en opvallend uit de toon viel.

Naarmate de tijd verstreek, maakte ik op school nieuwe vrienden — een groep van drie meisjes en drie jongens —

ook al hadden we weinig gemeen, afgezien dan van het feit dat we allemaal rookten. Zij woonden in grote huizen buiten de stad, met twee ouders, een stel honden en dozen vol spelletjes in de kast die ze op winterse avonden voor het haardvuur speelden. Met sommigen ging ik wel eens mee naar huis, maar dan voelde ik me zo'n buitenstaander dat ik snakte naar het moment waarop ik weer thuis was, in ons eigen appartement, onze eigen straat met de essenbomen. Een van de jongens reed in een cabriolet met vierwielaandrijving. Uit het open dak stak een surfplank. Hij had lang haar met gebleekte punten, een gespierd lichaam, en alle meisjes in onze klas waren verliefd op hem. Ik zat er meestal zwijgend bij terwijl mijn vriendinnen zich druk maakten over hun make-up, jongens en het feit dat ze te dik waren. Make-up droeg ik niet, er was niet één jongen die ik leuk vond, en ik was te mager. Veel te mager. Wanneer ik thuiskwam uit school, zat mijn moeder te tobben over het laatste dodencijfer op het nieuws van zes uur, of ze wachtte me op met een brief of een rekening die ze niet begreep. Voor mijn gevoel werd ze elke dag een jaar ouder.

Mijn vriendschappen op school stierven een stille dood, en uiteindelijk trok ik voornamelijk op met de andere Bosniërs in Exeter. Zo leerde ik een van de spectaculairste vertegenwoordigers van de Bosnische diaspora kennen: Bakira, een vrouw van veertig, die voor een half jaar de huisgenote werd van een vriendin van me.

Bakira was naar Engeland en Exeter gekomen via John, haar aanstaande man, die voor de Verenigde Naties had gewerkt en haar met zijn grote VN-truck had opgepikt toen zij en haar vriendin in het oosten van Bosnië stonden te liften. John was een verlegen Engelsman, een zwijgzaam type, die in hetzelfde huis woonde als mijn vriendin en Bakira, zijn minnares en aanstaande vrouw. Hij lag in scheiding. Zijn echtgenote bleef in hun huis in het noorden van Engeland wonen. John had geen onderdak en was gedwongen te leven als een student, of in dit geval als een vluchteling.

Ik was erbij, op de dag van Bakira's aankomst. Ze was een kleine, stevige vrouw met kort, krullend haar. Toen ze met haar dikke werkhanden haar koffer openmaakte, was het typerend wat ze daar als eerste uithaalde en afstofte: een ingelijste foto van Tito, die boven op haar spullen had gelegen. Verder een Bosnische koffiemolen, zorgvuldig in een wollen trui gewikkeld, en een fles Engelse cider in een plastic tasje van de Spar. Ze hing Tito's foto aan de muur, maalde koffie, schonk een glas cider in en wachtte tot het water kookte zodat ze koffie kon zetten. Daarmee kwam ze bij ons aan tafel zitten.

'Ik heb een dochter in Zagreb. Ze woont bij mijn zuster,' vertelde ze. 'Een tiener. Echt een mooie meid. De beste van haar school.' Ze nam een trek van haar sigaret en bij het inhaleren maakten haar longen een piepend geluid. 'Ik wil hier geld verdienen zodat ik dat naar haar kan sturen. Dan kan ze een beetje plezier maken. Ik heb haar vader ontmoet toen ik als wasvrouw voor het leger werkte. Dat was nog in het oude Joegoslavië. Hij was militair. Echt een seksbom, mijn Rade.' Op dat moment kwam John binnen, en Bakira veranderde van onderwerp.

Bakira en John zouden gaan trouwen zodra Johns scheiding rond was, en de hele Bosnische gemeenschap in Exeter werd bij de voorbereidingen van de bruiloft betrokken. We kwamen dagelijks bij hen over de vloer, om schoon te maken, te naaien, te wassen, te koken. Bakira had altijd een glas cider naast zich staan wanneer ze aan het werk was.

Haar huid was ziekelijk bleek en pafferig, van het roken en van de goedkope drank.

Een van de grootste mysteries van de relatie tussen Bakira en John was dat zij geen Engels sprak en hij nauwelijks Bosnisch. 's Ochtends bij het opstaan was het eerste wat ze deed, een pot pikzwarte, ongelooflijk sterke koffie zetten. Dan kwam John aansloffen op zijn pantoffels, nog in zijn dunne, witte pyjama, en dan zei Bakira in het Bosnisch: 'John, zo wordt het niks. De seks is gewoon niet goed genoeg. Je komt veel te snel klaar, en ik moet het verder maar uitzoeken. Maar volgens mij kan dat je niet eens schelen. Je moet zorgen dat je het langer volhoudt! Snap je dat?' Mijn vriendin, die bij hen in huis woonde, deed gegeneerd alsof ze de krant las.

Bakira's poging om zich een beetje begrijpelijker te maken tegenover John, bestond uit het toevoegen van een Engelse intonatie aan haar Bosnisch. John keek zwijgend naar de grond. Begreep hij wat ze zei? Niemand wist het.

Wanneer ik bij mijn vriendin langsging, bood Bakira ons altijd koffie aan en vertelde dingen als: 'Rade en ik hadden geweldige seks! Dan namen we er een seksblaadje bij en deden alle standjes na. Echt allemaal, een voor een. Maar met John stelt het niks voor. Het is elke keer hetzelfde. Hij boven, ik onder. Hij komt klaar en ik lig erbij als een natte dweil. Zoals Rade is er niemand, maar die zit in Servië, dus wat doe je dan? John is een goeie vent, maar wel een beetje stil. En ik... Nou ja, wat ik zeg, ik lig erbij als een natte dweil.' Dan leunde ze naar voren, en ik rook koffie, cider en sigaretten in haar adem. 'Begrijp je dat?'

Ik knikte, ook al had ik geen idee hoe het was om erbij te liggen als een natte dweil.

Op een keer, toen het er in Bosnië erg hevig aan toe was

gegaan en er op de televisie werd gesproken over talloze doden en gewonden, zei Bakira, zonder haar blik van het scherm af te wenden: 'Gelukkig ben ik in de oorlog nooit een arm of een been kwijtgeraakt. Want wie wil er nou seks met een vrouw met één been?' We keken haar ongelovig aan, met stomheid geslagen. John stond op en verliet de kamer. Mischien begreep hij toch meer dan we dachten.

Ik ben één keer dronken geworden met Bakira, en volgens mij heb ik toen althans iets van de sfeer geproefd in een Bosnische *kafana*, een bar waar alleen mannen komen en waar sterkedrank wordt geschonken, terwijl vrouwen met witgeblondeerd haar ranzig op de tafels dansen. Het was Bakira's verjaardag en ik ging 's ochtends bij haar langs voor een kop koffie. Mijn moeder bleef thuis. Ik zou haar helpen om een voedselpakket naar Bosnië te sturen, dus ik kon niet langer dan een half uurtje blijven. 'Kom op, laten we een glas vermout nemen!' drong Bakira aan. 'Ik ben jarig!' Ik zwichtte. 'Maar niet meer dan één. Het is nog te vroeg voor drank,' zei ik, of woorden van gelijke strekking. We namen een glas, en toen nog een. De zon klom naar zijn hoogste punt, en ik begon dronken te worden. Ik had nog nooit zo vroeg aan de drank gezeten, maar Bakira was jarig, en ze was alleen, en ik kon geen nee zeggen. Ze vertelde over haar dochter, en ik bleef hangen en luisterde naar haar trotse verhalen. Rond lunchtijd kochten we nog een fles vermout. Bakira haalde een cassette uit het 'speciale vakje' in haar koffer en zette die op, nadat ze met haar dikke vinger de afgerolde serpentine weer had opgewonden. Er klonk volksmuziek uit de ronde speakers. Bakira klom op de witte plastic keukentafel, stak haar armen in de lucht en begon in het rond te dansen, zingend zo hard als ze kon. Ik gierde het uit van de lach en nam nog een slok.

Toen mijn moeder langskwam liep het al tegen het eind van de middag. Ik lag in het bed van mijn vriendin, met een zwaar hoofd, nauwelijks in staat me te bewegen. Net toen Bakira de climax bereikte van haar lied, was ik naar de wc gerend en had ik mijn maag leeggegooid. Vanaf dat moment had ik op bed gelegen, met mijn schoenen en mijn jas nog aan. Alles om me heen draaide, en ik probeerde wanhopig de wereld stil te zetten. Vanuit de keuken klonk nog altijd Bakira's klaaglijke gezang: 'Ik ben Joegoslaaaaaaaf!' Op het driftige bellen van mijn moeder werd het plotseling stil, en Bakira probeerde – zonder succes – de flessen te verstoppen. Mijn vriendin ging op de bank zitten en deed alsof ze de krant las (ondersteboven), Bakira pakte haar naaiwerk (binnenstebuiten). De draden hingen er lusteloos bij, net als haar oogleden, en ze stonk een uur in de wind naar drank. Mijn moeder wierp een blik op de lege vermoutflessen, als stille getuigen van ons drinkgelag, en liep door naar de kamer waar ik in bed lag.

'Opstaan!' zei ze.

'Dat kan ik niet. Mijn hoofd...' Ik kokhalsde.

'Ik ben jarig. Neem een borrel. Kom op!' zei Bakira tegen mijn moeder, in een onverstandige poging van tactiek te veranderen.

'Dit is walgelijk!' Mijn moeder maakte rechtsomkeert, trok de deur achter zich dicht en vertrok.

Toen Bakira trouwde, dansten we op de muziek van een van haar cassettebandjes. John zei niet veel tijdens de bruiloft. Hij danste schichtig, halfhartig zijn benen bewegend op het woeste ritme van de volksmuziek. Ik wist niet wat er in zijn hoofd omging, onder dat asblonde haar, en vroeg me af wat hij dacht dat zijn nieuwe vrouw zei in haar met een Engels sausje overgoten Bosnisch. Ze was niet in het wit, en toen het feest in volle gang was, haalde ze de foto van Tito van de muur en danste ermee boven haar hoofd. Waarschijnlijk dacht ze aan Rade.

Vriendschap

In de winter van 1993 ademde het leven in Kroatië een en al somberheid. Er was geen werk, geen geld, en niets wees erop dat daarin binnen afzienbare tijd verandering zou komen. Het gebrek aan alles was in augustus, onder de warme zomerzon, minder zwaar gevallen, maar net als de kou werd ook het dagelijks leven steeds grimmiger. Mijn moeder had er wanhopig op aangedrongen en alles in het werk gesteld om ervoor te zorgen dat mijn zusje, die in 1992 was teruggegaan naar haar vriend, opnieuw naar Engeland kwam en daar haar opleiding voortzette. In oktober 1993, precies een jaar nadat we in Dover hadden aangelegd met de groep uit het Lake District, en nog geen twaalf maanden nadat ze Engeland had verlaten, arriveerde mijn zusje in Exeter. Na een korte juridische strijd met Binnenlandse Zaken mocht ze voor de tweede keer asiel aanvragen, samen met haar vriend.

Hun aankomst werd voorafgegaan door een van de vreemdste vriendschappen – als het die naam al verdiende – die ik ooit heb gekend. De leden van de Bosnische gemeenschap in Exeter waren op dezelfde manier naar Engeland gekomen als onze groep destijds: een plaatselijke vrijwilligersorganisatie was naar Kroatië gereden om de Bosniërs op te halen, had vervolgens in Engeland onderdak voor hen geregeld, enzovoort. Tot die organisatie behoorde een

144

stel van middelbare leeftijd, Jack en Myra. Ze waren niet daadwerkelijk naar Kroatië gereisd, maar ze boden aan om de Bosnische gezinnen thuis te bezoeken en Engelse conversatie met ze te oefenen. Jack was een lange man met een kaal hoofd, een vliegeniersbril en dunne lippen, en hij had altijd zijn camera bij zich. Myra droeg een grote bril van het type dat je vaak bij snookerspelers ziet. Haar golvende haar had ze hoog opgestoken en rijkelijk besproeid met lak. Ze was verpleegkundige en had een vriendelijk gezicht. Jack en Myra waren in de vijftig en al dertig jaar getrouwd, zoals ze vertelden.

Toen wij in Exeter arriveerden, waren Jack en Myra al enige maanden bezig met hun bezoeken. De eerste keer dat ze bij ons kwamen, werden we aan hen voorgesteld door een ander Bosnisch gezin, en we gingen met het hele gezelschap naar onze zitkamer om over de oorlog en over het laatste nieuws te praten. Jack en Myra luisterden en knikten terwijl ik vertaalde. Ze bleven een paar uur, en bij het weggaan zeiden ze dat ze snel terug zouden komen. We knikten, maar toen ze eenmaal weg waren wisten mijn moeder en ik niet goed wat we van hen moesten denken. Hun bezoeken leken echter deel uit te maken van de gebruikelijke gang van zaken binnen de Bosnische gemeenschap, en ik dacht dat het misschien leuk zou zijn om plaatselijk wat vrienden te maken. Na hun eerste bezoek belden Jack en Myra elke maandag- en woensdagavond om te bevestigen dat ze de volgende dag langskwamen. De telefoon ging rond zes uur 's middags, en het gesprek verliep altijd hetzelfde.

'Hallo Vesna, je spreekt met Jack.'

'Hallo Jack, hoe gaat het?'

'Heel goed, en met jou?' Hij sprak altijd langzaam.

Nadat ik had bevestigd dat het met mij ook goed ging, zei hij: 'Myra en ik dachten erover morgenavond langs te komen. Om zeven uur. Schikt dat?'

'Ja, prima,' zei ik dan met een zwaar gevoel in mijn maag. 'Tot morgen.' Ik zei nooit nee, zelfs niet als ik me dat eerder op de dag had voorgenomen.

Mijn moeder en ik kregen al spoedig genoeg van hun bezoeken, maar we waren bijna altijd thuis, en dat wisten ze. We hadden niet veel geld, en de avonden in Exeter, wanneer de straten er verlaten bij lagen, waren griezelig, dus we waren gestopt met ons vaste wandelingetje na het eten. Mijn moeder zat 's avonds meestal te lezen of brieven te schrijven in de woonkamer, en ik maakte mijn huiswerk, ik speelde – belabberd – gitaar of ik las een boek. Het gebeurde ook vaak dat we samen op de bank zaten en herinneringen ophaalden aan voorbije tijden, want in ons dagelijks leven gebeurde niet veel. Soms kregen we bezoek van andere Bosniërs, en dan legden we allemaal wat bij voor een fles wijn en aten we samen. Afgezien daarvan waren de bezoekjes van Jack en Myra, op dinsdag en donderdag, onze enige concrete invulling van de avonden.

Omdat mijn moeder niet voldoende Engels sprak om zelf een gesprek te kunnen voeren, moest ik alles vertalen. Maar Jack en Myra zeiden niet veel, en mijn moeder wist niet waarover ze met hen moest praten, met als gevolg dat ik telkens nieuwe gespreksonderwerpen moest bedenken. Ik praatte over van alles. De televisie stond altijd aan, en ik gaf commentaar op de kleur van iemands haar, op de kleren die de mensen op de televisie droegen, op producten die werden aangeprezen. Ik was onvermoeibaar in mijn pogingen om het gesprek op gang te houden en de hardnekkige dreiging van de verveling af te wenden. Dus begon ik ook filosofische discussies, over onderwerpen waar iedereen over kon meepraten, door vragen te stellen als 'Geloof je in God?' of 'Ben je een katten- of een honden- mens?' Maar het mocht allemaal niet baten. Soms pakte ik mijn gitaar en speelde 'Starry, starry night' van Don McLean, over de geniale schilder Van Gogh en hoe jammer het was dat hij zich van het leven had beroofd. Ik zong er ook bij, en mijn moeder beweerde altijd dat ze ervan ge- noot, ook al was mijn repertoire buitengewoon beperkt. (Ik kon in totaal vier liedjes spelen.) Jack en Myra luister- den glimlachend, klapten en leunden zwijgend achterover, met hun mond stijf dicht.

Op een dag besloot mijn moeder haar eigen tactiek in de strijd te werpen om de avonden met Jack en Myra wat te verlevendigen: ze nodigde hen uit voor het eten. Daar waren we minstens een uur mee zoet, zei ze. Helaas maakte dat de situatie er alleen maar erger op, want vanaf de dag dat er samen werd gegeten, probeerden Jack en Myra geen twee, maar drie keer in de week langs te ko- men. Het vooruitzicht alleen al maakte ons wanhopig, dus we wisten het op twee te houden door allerlei ver- plichtingen te verzinnen waarmee we het druk hadden. Maar die twee bezoeken, daar kwamen we niet onderuit. Na de begroeting en na over en weer naar elkaars welzijn te hebben geïnformeerd, gingen we zitten, en de stilte daalde als een loodzware deken over ons neer. Mijn moe- der diende het eten op in de keuken, en wanneer we aan tafel zaten, verdrong het gerinkel van glazen en vorken en messen het geluid van de wind in de stuiptrekkende es- sen, of het getik van de regen op de met tin beklede ven- sterbank. Na het eten verhuisden we naar de zitkamer, waar Jack en Myra zich op de bank voor de televisie lieten vallen. Mijn moeder kreeg enig respijt dankzij de afwas, waarbij ze naar de radio luisterde. Ik zat bij Jack en Myra en praatte over de laatste Head & Shoulders-reclame. 'Hoe bestaat het dat iemand zo veel roos heeft?' Alles was beter dan stilte.

Ongeveer een uur na het eten haalde Jack zijn camera te voorschijn en vroeg ons te glimlachen. Mijn moeder en ik lachten onze tanden bloot, en Jack klikte twee keer, zodat we tijdelijk verblind raakten door het sterke flitslicht. Dit deed hij bij alle Bosnische gezinnen, hoorden we later. De foto's waren verschrikkelijk: de flits was te sterk, het licht in de kamer afschuwelijk, mijn moeder gerimpeld van de zorgen, haar haar slap, en haar sjofele kleren waren te groot. Ik had een enigszins pafferig gezicht, een tiener met gelaatstrekken die zich nog moesten ontwikkelen, altijd met een sigaret tussen mijn vingers. Bij hun volgende bezoek haalde Jack een uur na het eten, wanneer we voor de televisie zaten, de foto's uit zijn tas, en we bekeken ze en deden alsof we ze leuk vonden. Zo gauw Jack en Myra weg waren, verdwenen de foto's in een donker hoekje in een la.

Een paar maanden later begonnen alle Bosniërs te klagen over de saaiheid en de leegte van de bezoeken van Jack en Myra. De meeste volwassenen, onder wie mijn moeder, zaten op Engelse les, ook al leken ze vooral te genieten van de pauzes tussen de lessen. Dan werd er gerookt, koffiegedronken, gekletst en geroddeld. In een van die pauzes kwam het onderwerp Jack en Myra ter sprake. Het bleek dat het paar, met uitzondering van de zondag, elke avond van de week Bosnische gezinnen bezocht.

Toen ik op een dag mijn moeder van de les ging halen, omdat we daarna onze wekelijkse boodschappen zouden doen, stonden alle Bosniërs buiten te roken en koffie te drinken uit plastic bekertjes. Hoewel ze in leeftijd varieerden van veertig tot zeventig, deden ze me denken aan tieners tijdens een schoolpauze, druk fluisterend en gesticulerend. Het ging weer over Jack en Myra.

'Denk je dat ze op gas en elektriciteit proberen te besparen door nooit thuis te zijn?' vroeg een al wat oudere vrouw onschuldig.

'Misschien,' zei iemand.

'Waarom zouden ze nooit thuis willen zijn? Je bent toch nergens zo op je gemak als in je eigen huis?' zei een ander.

'Ze geven hun geld in elk geval niet uit aan eten,' concludeerde Bakira, hoewel zij geen bezoek van Jack en Myra kreeg omdat ze een Engelssprekende partner had.

'Hebben ze eigenlijk wel een huis?' vroeg een van de mannen. 'Is iemand ooit bij ze geweest?' Iedereen schudde zijn hoofd. 'Weet iemand waar ze wonen?'

'Ergens buiten de stad, geloof ik,' zei een vrouw.

'Natuurlijk hebben ze een huis,' zei een ander. 'Ze zien er altijd netjes uit, in keurige kleren.'

Er klonk wat gemompel, toen verklaarde mijn moeder: 'Ik wil ze niet elke week op bezoek hebben. We hebben amper genoeg geld om onszelf in leven te houden, maar inmiddels komen ze twee keer in de week bij me eten. In het begin was dat wel fijn. Ik kookte altijd te veel, en dan hoefde ik niks weg te gooien. Want ik had nog nooit voor twee personen gekookt. We waren thuis met z'n vieren. Maar ik kan het me gewoon niet meer veroorloven.'

Iedereen was het met haar eens, maar niemand kon een beleefde manier bedenken om van Jack en Myra af te komen. Het financiële aspect was iets waar ik nooit bij stil had gestaan. Ik vond hen gewoon saai.

We wisten weinig van Jack en Myra. Ze hadden een dochter en een zoon, maar die waren allebei volwassen en woonden elders. Jack en Myra zelf woonden ergens in een buitenwijk van Exeter, maar niemand wist precies waar. Een van de weinige keren dat ze iets over zichzelf hadden verteld, was toen ze met het nieuws kwamen dat Myra zwanger was. Ze zou een tweeling krijgen. We feliciteerden hen in het Engels, ook al zei mijn moeder in het Servo-Kroatisch dat Myra met eenenvijftig te oud was om nog een kind te krijgen, laat staan een tweeling. Uit angst hen te beledigen, vertaalde ik die opmerking maar niet. Heimelijk vroeg ik me wel af waar ze de tijd hadden gevonden voor seks, gezien het feit dat ze nooit thuis waren. Maar toen bedacht ik dat ze de zondagavond vrijhielden. Een paar weken later vertelde Myra dat ze een miskraam had gehad, maar dat bleek uit niets. Ze zagen er net zo uit als anders. Ze kwamen nog steeds twee keer per week langs, aten mee, zaten op de bank, keken televisie, namen foto's, brachten die de week daarop mee, luisterden glimlachend naar mijn gejammer en mijn gitaarspel en bekeken de wereld door hun brillenglazen.

Zo ging het door tot oktober, de dag voordat mijn zuster en haar vriend zouden arriveren. Het bezoek van Jack en Myra viel samen met dat van een stel uit Mostar dat vlakbij woonde. Mijn moeder had gekookt, en we zaten rond onze kleine keukentafel. Terwijl mijn moeder met onze vrienden praatte, vertaalde ik voor Jack en Myra: 'Ze hebben het over de prijs van de aardappels' en 'Ze zeggen dat het vandaag erg koud is' en 'Wil je nog wat kip?' Na een paar glazen wijn maakte mijn moeder duidelijk dat ze iets wilde zeggen, maar omdat ze wist dat ik de neiging had alles te verzwijgen waarvan ik bang was dat het te rechtstreeks zou zijn, vroeg ze de vrouw van het stel uit Mostar te vertalen; ze sprak redelijk Engels en was geen partij in de zaak, noch had ze de autoriteit om mijn moeders uitspraken te censureren.

'Omdat we allemaal zulke goede vrienden zijn,' begon mijn moeder, 'en omdat jullie al zo vaak bij ons zijn geweest, zouden we het leuk vinden om jullie eens een keertje thuis op te zoeken en te zien waar jullie wonen.' Ze zweeg even. 'We willen jullie graag wat beter leren kennen,' vervolgde ze. Onze vriendin vertaalde en ik vroeg me af of mijn moeder oprecht geïnteresseerd was in de verborgen diepten van het leven van Jack en Myra. Het leek me waarschijnlijker dat ze blufte. 'Zo gaat het in Bosnië wanneer je goed met elkaar bevriend bent,' besloot mijn moeder. Myra luisterde en staarde naar de lamskoteletten op haar bord. Jack knikte. Toen wat mijn moeder had gezegd was vertaald, zei hij: 'Myra en ik zouden het erg leuk vinden om jullie te ontvangen. Dat meen ik oprecht. Maar we hebben het op dit moment razend druk. Dus ik moet in mijn agenda kijken om te zien wanneer het uitkomt.' Mijn moeder glimlachte, we aten verder, en de altijd aanwezige stilte had vanaf dat moment bij Jack en Myra iets mokkends. Ondertussen sprak mijn moeder geanimeerd met het stel uit Mostar. Ik besloot me er niet mee te bemoeien, met de stilte noch met het gesprek, en at mijn lamskoteletten.

Toen de gasten waren vertrokken, ruimde ik af. Er zaten rode kringen op het kleed waar wijnglazen hadden gestaan. Jack en Myra hadden hun bestek keurig diagonaal op hun bord gelegd.

Later hoorden we dat ze sommige gezinnen nog altijd regelmatig bezochten, andere namen een voorbeeld aan mijn moeder en vroegen of ze Jack en Myra thuis konden bezoeken, met als gevolg dat ze van de lijst werden ge-schrapt. Jack en Myra belden nooit meer en kwamen nooit meer bij ons langs.

Januari 1994

Toen ik op een ijskoude ochtend in Exeter uit bed kwam, vond ik een brief op de mat bij de voordeur. Iedereen sliep nog, dus ik ging aan de keukentafel zitten bij het raam en scheurde de envelop open. De brief was gedateerd eind januari 1994, en ik herkende het handschrift van mijn vader. Buiten kwam een man langslopen, haastig, met vuurrode oren. En zelfs binnen was mijn adem zichtbaar als een zachte wolk stoom.

Lieve Vesna,
Het is ochtend, en die klootzakken in de heuvels houden zich even koest, dus ik schrijf je nu ik nog kan nadenken. Ik ben twee dagen geleden uit het ziekenhuis gekomen. Goddank, want ik kon het eten daar niet langer verdragen. Onze hulppakketten zijn heel wat smakelijker. De buurvrouw kwam langs, met eten uit haar dorp. Aardappels zoals je oma ze bakt. De smaakt riep zo veel herinneringen in me wakker.
Je vraagt je natuurlijk af hoe het hier gaat. Ach, eigenlijk is alles nog min of meer bij het oude. Alleen hadden we gisteren een klein incident in de buurt. Ik ging bij Muhamed langs. We dronken wat en begonnen *sevdalinke* te zingen. Waarschijnlijk waren we nogal luidruchtig, en de ramen stonden open. Hoe dan ook,

de sukkels die hier tegenwoordig de boel in de gaten houden, zijn plotseling grote, potige Kroaten. Er kwam een stel aan de deur om te zeggen dat we moesten ophouden met het zingen van moslimliederen. Ik zei dat ze naar de hel konden lopen, dat ik Serviër was en dat ik zelf wel uitmaakte wat ik wilde zingen. Maar dat had ik beter niet kunnen doen. Het scheelde niet veel of ik was opgepakt. Ze lieten me pas met rust toen ik zei dat ik net uit het ziekenhuis kwam. Muhamed viel in slaap nadat ik was vertrokken, en toen hij wakker werd was zijn televisie verdwenen. Die klootzakken zijn blijkbaar teruggekomen en hebben hem bestolen. Dat is het enige wat ze doen. Stelen en rottigheid trappen. Iedereen weet het, maar wat kun je eraan doen? Niets. Je houdt je koest. Want als je dat niet doet, loopt het net zo met je af als met die man die nog niet zo lang geleden door een van de bewakers is neergeschoten. Weet je nog hoe ze bij wijze van waarschuwing in de lucht schieten als iemand zijn raam niet helemaal heeft verduisterd? Nou, dat deden ze die dag ook, en blijkbaar is die man toen zijn balkon op gerend en gaan schelden. 'Schei toch verdomme eens uit met die herrie!' Waarop de bewaker hem gewoon heeft neergeschoten. 'Jij je zin! Nu heb je nergens meer last van.'
Dus ik probeer zo veel mogelijk binnen te blijven. We moeten natuurlijk wel zelf water halen, maar mijn been is nog niet in orde, dus er is altijd wel iemand die wat voor me meebrengt. Laatst in het ziekenhuis kwam er een vriend bij me langs, en die zei dat ik moest uitkijken, want dat de soldaten alle Serviërs die in de stad zijn gebleven oppakken om greppels te gra-

ven. Soms doen die hufters hun een riem om de nek en laten hen gras eten. Gewoon om ze te vernederen. Hoe zit de mens toch in elkaar, vraag ik me af. Waar komt al die wreedheid, al dat sadisme vandaan?

Laura hier uit de buurt denkt nog steeds dat ze een man is. Het schijnt dat ze zich heeft aangemeld bij het leger, om te vechten. Maar toen ze te horen kreeg dat vrouwen niet welkom waren, werd ze kwaad. Soms komt ze langs, en dan drinken we wat. Er zijn mensen die nooit veranderen. Het lijkt wel alsof alleen de gekken hetzelfde blijven. En wat nog erger is, er komen elke dag nieuwe gekken bij.

Zo, genoeg over mij en over de oorlog. Ik schrijf je gauw weer.

Pas goed op jezelf en geniet.

Kort nadat hij die brief had geschreven, overleed mijn vader. Heel plotseling. Het schijnt dat hij oorpijn had. Op een grijze middag kregen we een telefoontje. Hij klaagde sinds een paar dagen over oorpijn, en daar had hij pillen voor gekregen, maar daar had hij er te veel van geslikt. (Mijn vader had een vreemd soort logica. Als één pil werd geacht te helpen, dan waren tien pillen nog veel beter.) Hoe dan ook, hij raakte in coma en stierf de volgende morgen, in het deels verwoeste stadsziekenhuis. We zaten zwijgend rond de tafel, niet wetend wat te doen. Het was februari 1994. Ik was inmiddels zo'n veertien maanden in Engeland, de tijd die een kind nodig heeft om te leren lopen. Mijn moeder, mijn zusje en ik probeerden te bedenken wat ons te doen stond. De begrafenis moest worden geregeld. Dat was duidelijk. Maar wie ging hem begraven? Wij zaten in Engeland, en zijn broers en zusters zaten in Servië. Ik belde Binnenlandse Zaken.

'Hallo. Spreek ik met het ministerie van Binnenlandse Zaken?'

'Inderdaad. Wat is uw IND-nummer?'

'30567344.'

'Wat kan ik voor u doen?'

'Ik ben asielzoeker. Mijn vader is in Bosnië gebleven, en hij is zojuist overleden. Maar er is niemand van de familie om hem te begraven. Mijn moeder zit ook hier en heeft ook asiel aangevraagd. Dus ik vroeg me af of er een mogelijkheid is dat ze teruggaat om de begrafenis te regelen zonder dat het problemen oplevert voor haar asielaanvraag.'

'Een ogenblikje. Ik verbind u door met de bewuste afdeling.'

Stilte. Dan plotseling gerinkel. 'Hallo?'

'Hallo. Mijn IND-nummer is 30567344. Ik heb net gehoord dat mijn vader is overleden, in Bosnië. Maar er is niemand van de familie om hem te begraven. Mijn moeder zit ook hier en heeft ook asiel aangevraagd. Dus ik vroeg me af of er een mogelijkheid is dat ze teruggaat om de begrafenis te regelen zonder dat het problemen oplevert voor haar asielaanvraag.'

'O. Aha. En er is niemand in Bosnië die de begrafenis zou kunnen regelen?'

'Nee. We zijn allemaal hier, en de broers en zusters van mijn vader zitten in Belgrado. Mijn vader is Serviër, en de orthodoxe begraafplaats is niet in gebruik. Hij ligt op een helling, en door de oorlog is het daar te gevaarlijk. Er is niemand anders die het kan doen. We zouden een begrafenis op een tijdelijke begraafplaats moeten regelen, buiten de stad, waar moslims worden begraven en Serviërs uit het westelijke deel van de stad.'

'En waar is die tijdelijke begraafplaats?'

'Dat weet ik niet precies. Blijkbaar ergens bij een dorp, zo'n tien kilometer buiten de stad. De begraafplaats heet Medjine.'

'Hebt u geen kaart? Ik wil graag precies weten waar het is.'

Ik haal de kaart van Joegoslavië erbij. Waar moet ze dat in godsnaam voor weten? Maar dat durf ik niet te vragen. Zij stelt de vragen, ik geef antwoord. Ook als haar vragen belachelijk zijn en niet ter zake doen.

'Het ligt precies op een groene vlek, niet zo ver van Mostarsko Blato,' zeg ik ten slotte.

'Akkoord.' Ik begrijp dat ze aantekeningen maakt.

'Dus denkt u dat het kan?'

'Waaraan is uw vader gestorven?'

'Hij had iets met zijn oor, en toen heeft hij een hersenbloeding gekregen. Hij is 's avonds in coma geraakt, en de volgende morgen overleden.'

'Juist.' Nog meer aantekeningen.

'Dus denkt u dat het te regelen valt? We kunnen niet te lang wachten. Het is oorlog en ze kunnen het lichaam maar heel kort in bewaring houden. Niets werkt. Er zijn geen voorzieningen om doden te bewaren. Wanneer iemand is overleden wordt hij zo snel mogelijk begraven.'

'Hm. Ik zal uw verzoek bespreken met mijn collega's, en dan laat ik het u weten. Wat is uw telefoonnummer?'

Ik geef het haar.

We wachten af. En we wachten nog een dag. Ondertussen schiet ons een ver familielid van mijn vader te binnen, iemand die nog in een dorp in het westen van Herzegovina woont. We bellen hem en we bellen de broers en zusters van mijn moeder. Samen met onze buren zorgen zij ervoor dat mijn vader wordt begraven. Ze nemen zelfs foto's van het lichaam, die ik toevallig zeven jaar later weer tegenkom terwijl ik op de wc een stapel familiefoto's zit te bekijken. Het moment waarop ik die foto's voor het eerst zag, zal ik nooit vergeten. Alles wat met de dood van mijn vader te maken had, ging verkeerd, gebeurde op het verkeerde moment, niets ging zoals het had moeten gaan. Het was maar een kleine begrafenis: een groepje van vijf, onder wie de kleine gebochelde huisvriend die een paar maanden bij mijn vader had gewoond en die de ambulance had gebeld toen hij hem bewusteloos op bed aantrof.

Wanneer de begrafenis achter de rug is, bel ik mevrouw Ray, de immigratiebeambte met wie ik enkele dagen eerder had gesproken.

'Ik ben op zoek naar mevrouw Ray.'

'Met wie spreek ik, en waar gaat het over?'

Ik leg het uit.

'Ach, dat spijt me. Mevrouw Ray heeft twee weken vakantie.'

'Sinds wanneer?'

'Sinds een dag of twee, drie geleden? Kan ik u misschien helpen?'

'Nee, dank u.'

Ik hang op en stel me voor dat ik met een machtige AK-47 alle immigratiebeambten neermaai, waarbij ik ervoor zorg dat mevrouw Ray een bijzonder langzame en pijnlijke dood sterft. Het is een droom die me wekenlang blijft achtervolgen. Het tijdelijke graf wacht op betere tijden, op een uitgestrekte, groene vlakte waar cipressen zich buigen in de wind.

De verwerking valt me zwaar. Enkele jaren later werden de inmiddels kale botten van mijn vader verplaatst naar het familiegraf op de orthodoxe begraafplaats in Mostar. Elk jaar bezoek ik het graf, op een naakte, rotsachtige helling vanwaar je uitkijkt over de stad. Ooit lag de begraafplaats in de beschutting van hoge pijnbomen en cipressen, die donkere schaduwen wierpen op de grijze grafstenen waarop de doden op zwart-witfoto's in de verte staarden. In de oorlog zijn de bomen tijdens de koude winterdagen omgehakt en door de bevolking van de stad gebruikt als haardhout, en iemand heeft met een beitel stukjes van de gezichten op de foto's weggehakt om zijn haat af te reageren. Elk jaar ga ik op de warme steen aan het eind van het graf zitten, tegen het vallen van de avond op een zinderend hete zomerdag, naast de rozemarijnstruik die uit de grindachtige grond groeit. Soms zie ik schildpadden die in de struiken traag de liefde bedrijven. Soms ga ik samen met vrienden en kijken we neer op de stad aan de voet van de helling. En soms zit ik er alleen en kijk ik naar treurende familieleden bij andere graven, terwijl de lichtblauwe hemel verkleurt naar het diepe indigo dat als gemorste inkt over de aarde kruipt.

Een plek aan zee

Na de dood van mijn vader ging mijn moeder terug naar
Bosnië en Herzegovina. Voor de tweede keer in twee jaar
namen mijn zus en ik afscheid van haar, alleen was zij het
nu die vertrok met een bus. Het afscheid viel ons die tweede keer nog zwaarder. Net toen we eraan gewend waren om
weer samen te zijn, viel ons gezin opnieuw uit elkaar. We
besloten er het beste van te maken en uit te kijken naar onze volgende verhuizing, naar Hull. Mijn zusje was toegelaten op de universiteit en haar vriend en ik gingen met haar
mee naar Yorkshire. Na de eerste paar weken zou ik op mezelf gaan wonen en mijn A levels gaan doen, ergens in de
buurt van mijn zus en haar vriend. Toen we op de kaart
hadden gekeken om te zien waar we terecht zouden komen, hadden we gezien dat Hull vlak bij zee lag. We
droomden van lange stranden en misschien zelfs een bou-
levard met palmbomen. Onze naïviteit kende geen gren-
zen. Toen de moeder van een vriendin vroeg 'En, wanneer
verhuizen jullie naar de hel?' begonnen we te lachen, want
we dachten dat ze een grapje maakte. Hull lag aan zee, dus
zo erg kon het nooit zijn.

Een vriendelijke buurman bood aan ons er met een be-
stelbus heen te brengen. Omringd door onze spullen zaten
we in het laadruim. Toen we Hull binnen reden, verrieden
onze gezichten de snelheid waarmee de moed ons in de

schoenen zonk. Ik denk dat ik in alle redelijkheid kan zeggen dat Hull mijn eerste cultuurschok betekende in Engeland. De eindeloze straten met rijtjeshuizen riepen associaties op met de locaties in Monty Python, de kale straten zonder bomen boden een grimmige, doodse aanblik, de wind blies onophoudelijk en maakte korte metten met elke poging tot een enigszins geordend kapsel. Hull leek in niets op de groene heuvels van het vruchtbare Lake District en indrukwekkende monumenten zoals de kathedraal van Exeter waren er niet.

We arriveerden bij het huis dat mijn zus enkele maanden eerder had gehuurd, tijdens een vluchtig bezoek aan de stad. Het was er donker, de vloer lag bezaaid met bierblikjes, de restanten van het afscheidsfeestje van de vorige huurders. Onze buurman uit Exeter vertrok weer, en wij gingen op de bank zitten en staarden naar de muur. Mijn zusje was op de universiteit toegelaten in de plaats van een ander meisje uit Bosnië, dat met haar studie was gestopt – ze had een poging tot zelfmoord gedaan. Ineens begrepen we wat haar had bezield. Ik stelde voor een eindje te gaan lopen. Misschien bleek het allemaal mee te vallen als we de buurt wat gingen verkennen. We slenterden door het centrum. Het was zondag en alles was dicht, behalve een pub, Sergeant Pepper's, waar luide techno werd gedraaid en waaruit voortdurend mensen naar buiten kwamen, dronken, kotsend. We maakten rechtsomkeert en gingen terug naar huis.

De volgende dag, toen ik door de hoofdstraat wandelde, kwam ik meisjes tegen, jonger dan ik, die al achter de kinderwagen liepen. In de supermarkt, de Kwiksave, zag ik met verbazing dat een blik witte bonen één penny kostte. Ik liep helemaal tot aan de rivier, eigenlijk een zeearm, met een hoop modder die traag en lusteloos heen en weer klotste onder een dun laagje water.

Voor mijn A levels ging ik naar een plaatselijk college. Bij Engelse literatuur zat ik met meisjes in de klas die ervan droomden bij Tesco, de grote supermarkt, achter de kassa te zitten. Bij filosofie was de samenstelling van de groep gevarieerder, met mannen van zeventig die op zoek waren naar de zin van het leven, en twee broers, junkies, die elke gelegenheid te baat namen om ons te vertellen dat er niks mis mee was om drugs te gebruiken. Ze liepen al tegen de veertig, en dit was hun tiende poging om een A level voor filosofie te halen. De tekenles werd regelmatig verstoord door een schizofrene man die kwaad werd wanneer het hem niet lukte om wat hij in zijn hoofd had, op het doek of het papier te krijgen. Ik sloot vriendschap met een Australisch meisje dat de deur niet uit ging zonder een dikke laag vloeibare make-up op haar gezicht. Ze droeg altijd heel korte rokjes, zodat ze zelfs om negen uur 's ochtends al door bouwvakkers werd nagefloten. Zelf werd ik steeds introverter en stiller, en het lukte me niet om me echt thuis te gaan voelen. Mijn achttiende verjaardag verliep zo onopvallend dat ik me er niets meer van herinner. Ik leed aan een geheime liefde voor de enige normale persoon die bij ons over de vloer kwam – een vriend die we hadden opgeduikeld via iemand die we kenden in Exeter – maar hij was hoegenaamd niet in me geïnteresseerd. Het boterde niet echt tussen mij en mijn zus en haar vriend, de dagen waren kort en donker, en ik miste mijn thuis en mijn moeder. Dat besefte ik pas toen ik in een telefooncel stond, terwijl mijn zus huilend mijn moeder belde. Mijn zus was altijd de meest dramatische van ons tweeën, haar gevoelens voerden altijd de boventoon omdat ze er zo hartstochtelijk uiting aan gaf. Ik had nooit de moeite genomen me af te vragen wat ik voelde, en waarom. Maar toen ik mijn zus hoorde zeggen 'O mammie, ik mis je zo', dacht ik: dat is het. Ik mis mijn moeder.

Mijn moeder was diep ongelukkig toen ze uit Engeland wegging, de ballingschap had haar gebroken. Nadat mijn vader was gestorven, was Mustafa, de kleine, gebochelde vriend des huizes die op dat moment met mijn vader samenwoonde, door soldaten de deur uit gezet. Ze kwamen met machinegeweren, sommeerden hem te vertrekken en dreigden dat ze hem zouden doodschieten als hij er nog was wanneer ze terugkwamen. In doodsangst belde hij mijn oom, die op zijn beurt mijn moeder belde, die vervolgens haar neef belde die bij een speciaal onderdeel van de politie zat, een fatsoenlijke kerel die – daar was iedereen het over eens – nooit iets had gestolen of in andermans appartement was getrokken. Het was heel gebruikelijk dat mensen in andermans lege appartement trokken, zelfs als ze al een plek hadden om te wonen. Ze braken in en zetten nieuwe sloten op de deuren. Het kon zomaar gebeuren, als je de stad uit was, of als je alleen maar even de deur uit ging om iets te eten te halen. Er was een geval bekend van een man die zo bang was dat iemand in zijn appartement zou trekken, dat hij elke dag wanneer hij de deur uit ging, een boobytrap zette. Op een dag kwam hij in de stad vrienden tegen, hij werd dronken, vergat wat hij had gedaan en deed bij thuiskomst gewoon de deur open, zonder eerst de boobytrap onklaar te maken. Met als gevolg dat hij zichzelf opblies als een watermeloen.

Ik kende Mustafa al vanaf dat ik heel klein was. Hij was als kind, tijdens de Tweede Wereldoorlog, onder de voet gelopen, met een gebroken ruggengraat als gevolg, waardoor hij de rest van zijn leven een bochel had. Hij was moslim, woonde in het appartement van mijn ouders – een Serviër en een Kroaat – in het gedeelte van de stad dat werd gecontroleerd door Kroaten, die hem het liefst ter plekke hadden doodgeschoten als ze niet hadden geweten dat mijn neef bij de politie zat. Vandaar dat ze hem een dag de tijd gaven om te vertrekken. Mijn neef wist te achterhalen wie de drie mannen waren die Mustafa hadden bedreigd. Hij sprak een hartig woordje met ze, of hij gaf ze een flink pak rammel, dat hoop ik tenminste. Ze hebben zich nooit meer laten zien.

Niet lang daarna kwam mijn moeder terug naar Bosnië, en ze vond al snel werk. Ze vertelde ons over de vrouwen die bij haar aan de deur kwamen, druk pratend als opgewonden kippen: 'Je hebt geen idee hoe wij hier hebben geleden. Echt, je hebt geen idee. Jij hebt het maar gemakkelijk gehad in Engeland, maar hier was het verschrikkelijk.' Mijn moeder deed de voordeur open en zette ze het huis uit. Haar verblijf in Engeland was vervuld geweest van zorgen, armoede, onbegrip en tranen.

In het jaar dat mijn moeder in Engeland zat, deden zich twee sterfgevallen voor, die van mijn vader en een neef. De neef was net getrouwd en zijn vrouw was zwanger. Hij was op een avond gaan stappen met zijn beste vriend, die ceremoniemeester was geweest op zijn huwelijk. De vriend kreeg ruzie met een kennis die ze in de kroeg tegenkwamen. De ruzie ging over iets heel onnozels, aldus het verhaal, en mijn neef stond erbij. Maar de emoties liepen hoog op en plotseling trok de kennis een pistool om zijn woorden kracht bij te zetten. Hij vuurde en schoot per ongeluk mijn neef dood. Iedereen liep in die tijd met een wapen op zak, en ruzies werden opgelost met schieten. Mijn moeder was er kapot van. Het jaar daarvoor was haar zuster gestorven, toen haar neef, en ten slotte haar echtgenoot. Die eerste maanden dat ze terug was in Mostar, leefde ze voortdurend in angst, vertelde ze, voor alles.

Ik begreep hoe ze zich voelde, want ik was soms ook bang voor alles: voor het heden en de toekomst, voor dingen die gebeurden of zouden kunnen gebeuren, en ik was bang dat er nooit iets zou veranderen. Maar mijn moeder zei tegen zichzelf: ik moet sterk zijn! Ze ging elke dag zwemmen en hervond haar kracht. Ik bewonderde haar daarom, en om haar overlevingsinstinct, haar liefde, haar neiging te beschermen. Ik miste haar verschrikkelijk en was voortdurend bang dat haar iets zou overkomen en dat ik dan niets voor haar zou kunnen doen.

Dat jaar ging ik in november met de school naar Londen. Een van de meisjes vertelde dat ze zwanger was. Ze was zestien. 'Wat ga je daaraan doen?' vroeg ik. Ze wilde de baby houden, zei ze. Ik kon me niets ergers voorstellen dan zo jong al een kind krijgen. Ik was inmiddels achttien en had zelfs nog nooit seks gehad, omdat ik vond dat ik er nog niet klaar voor was. Op mijn vraag waarom ze een kind wilde, antwoordde ze simpelweg: 'Ik wil iemand die van me houdt.' Die avond in bed, met buitengewoon deprimerende Bosnische muziek op mijn walkman, dacht ik aan mijn moeder, en ik vroeg me af of het niet beter was om te ontkennen dat ik depressief was.

Ik ging bij vrienden langs die in het zuiden van Londen woonden. Ze hadden me uitgenodigd om een video te komen bekijken die hun schoonzoon had gemaakt terwijl hij bij mijn moeder was, in Mostar. Onze buurman, mijn moeder en de schoonzoon met de videocamera hadden door Mostar gelopen en jonge mensen gevraagd hoe het leven daar was in 1994. De oorlog woedde nog altijd, en het leek alsof er nooit een eind aan zou komen. Alles was kapot, alles was grijs, grauw. Mijn moeder lachte, en iedereen maakte grapjes. Ik herkende een van de jonge mannen met wie ze spraken. Niet dat ik hem echt goed had gekend, maar eenzaam als ik was, werd ik op slag verteerd door verlangen, alsof hij een van mijn beste vrienden was geweest. Ik voelde me zo ver weg van alles, van mijn vroegere leven in het voormalige Joegoslavië, van mijn huidige, lege bestaan in Hull, van mijn toekomstige leven, waar zich dat ook zou afspelen. Ik werd nerveus, alles maakte me bang. Overdag voelde ik me slecht op mijn gemak, maar ook 's avonds als het donker was. Ik had medelijden met mezelf, en ik praatte er met niemand over.

In december van dat jaar kwamen de ouders van de vriend van mijn zus langs. Ze logeerden niet bij ons, in ons vervallen huis met vijf slaapkamers, waarvan we er maar twee gebruikten. Wanneer we douchten lekte het in de keuken, via de tl-buis aan het plafond, met een lichtshow als gevolg. Vanuit het raam in de zitkamer keken we uit op een betonnen plaatsje. Op een avond namen de ouders van de vriend van mijn zus ons mee naar McDonald's. Daar zaten we weer onder tl-buizen, en we aten patat die naar plastic smaakte. Er werd niet veel gezegd; af en toe werden er namen genoemd van mensen uit de stad in Kroatië waar ze woonden. Mensen die ik niet kende. Terwijl ik daar zat, zwoer ik dat ik nooit meer bij McDonald's zou eten, en onder die wrede, felle lichten, op die ronde stoelen bekleed met nepleer, met mijn mond vol patat, nam ik het besluit om mezelf bij de kraag te vatten. Als ik medelijden bleef hebben met mezelf, zou het er allemaal niet beter op worden. Ik moest zorgen dat ik vrienden kreeg. En snel ook.

Het duurde een paar maanden, maar uiteindelijk sloot ik Hull in mijn hart. Ik begon naar de radio te luisteren – om de een of andere reden voelde ik me dan minder alleen – en ik ontdekte een schitterend park. Ik leerde de oude vrouw bij de wasserette kennen, die door iedereen 'Flower' werd genoemd, en de winkeliers die belangstellend naar je informeerden wanneer je een halve liter melk kwam kopen. Op college begon ik buitenlandse studenten te helpen met hun Engels, en ik ontmoette allerlei geweldige mensen, uit Angola, Frankrijk, Japan, Italië, Griekenland, zelfs Mauritius. Ik sloot vriendschap met een plaatselijke kapper, en samen maakten we lange wandelingen buiten de stad met Mable, zijn magere windhond.

Ik had een Russische vriend die met een verlopen Russisch rijbewijs in een onverzekerde Alfa Romeo rondreed. Op een dag, toen hij na de lunch een borrel had gedronken, op weg naar zijn illegale baantje als beveiligingsbeambte, botste hij tegen de stilstaande auto van een vrouw die op weg was naar het ziekenhuis omdat ze op het punt stond te bevallen. Hij dacht dat hij voor jaren achter de tralies zou verdwijnen, maar gelukkig voor hem diende de vrouw geen aanklacht in. Hij reed een keer met ons naar de kust, waar we over het winderige strand liepen en schelpen verzamelden. Ik genoot van de onvoorspelbaarheid van de hemel en de zee, van de krankzinnige meeuwen die zich krijsend lieten meevoeren op de wind, van het gevoel en het geluid van de gladde kiezelstenen in mijn zak.

'Get out of my dreams, get into my car'

Een van de langste mensen die ik ken, is uit Bosnië ontsnapt in de kofferbak van een auto. Toen ik de deur opendeed, kon ik mijn ogen niet geloven. Daar stond hij, hoog boven me uittorenend, met een brede grijns op zijn gezicht. Hij spreidde zijn armen, omhelsde me en tilde me van de grond. 'Zlatko!' juichte ik, waarop mijn zus kwam aanrennen, verbijsterd zijn naam hier, in Hull, te horen.

Zodra hij over de drempel stapte, was onze smalle gang volledig gevuld. Ik woonde inmiddels twee jaar in Engeland, maar voor mijn gevoel had ik hem de vorige dag nog gezien. In Mostar woonde Zlatko bij ons in de buurt, niet in de flat naast de onze maar in het gebouw dáárnaast, op de vijfde verdieping. Hij kwam me regelmatig halen om iets te gaan drinken, en dan moest hij altijd bukken om binnen te komen. Hij had lange haren, grote oren, en een absoluut uniek gevoel voor humor. Wanneer hij binnenkwam zei mijn vader altijd: 'Zlatko, je gaat ons allemaal overleven door al die gezonde berglucht die je daar boven inademt.' Dan lachte Zlatko en zei: 'Ik kan van hier boven duidelijk zien dat je haar dunner begint te worden. Nog even en je moet aan een toupet. Geef maar een gil, dan help ik je met alle plezier om er een uit te kiezen.'

En nu was hij hier, bij ons in Hull, duizenden kilometers van huis.

'Hoe ben jij hier terechtgekomen?' vroegen we.

'Dat zul je niet geloven. In de kofferbak van een auto.'

Ik probeerde het me voor te stellen. Zlatko was bijna twee meter, met benen waaraan geen eind leek te komen. Het leek fysiek onmogelijk dat hij in de kofferbak van een auto zou passen. 'Wat voor auto? Een vrachtwagen?'

'Nee, een BMW,' antwoordde hij lachend. 'En daar lag ik eigenlijk best comfortabel.'

Ik zette koffie, en daarna gingen mijn zus, haar vriend en ik om Zlatko heen zitten als kinderen rond een verhalenverteller, ongeduldig om het verhaal van zijn ongelooflijke reis te horen.

'Drie maanden geleden werd ik opgeroepen voor het leger. Ik ben ondergedoken, want ik wilde niet. Maar ze hebben me gevonden en ik werd gemobiliseerd en ingezet als bewaker op een uitkijkpost. Omdat ik zo lang was, zeiden ze. Elke dag zat ik tien, twaalf uur in een loopgraaf, met zicht op de hele vallei ten westen van de stad. Zodra er iemand naderde, moest ik alarm slaan. Op sommige dagen was het rustig, maar soms... O man, het was verschrikkelijk! De chaos, het schieten, het bloed, mensen die schreeuwden. Ik had het gevoel dat ik in een film terecht was gekomen. Je kunt je niet voorstellen dat het allemaal echt is wat er gebeurt. Sommige soldaten werden dronken, of stoned, en dan stormden ze erop af, schietend als gekken.

Ik dacht voortdurend aan ontsnappen. Dat was het enige wat me op de been hield. Ik informeerde hier en daar, en uiteindelijk hoorde ik over een man op een eiland in Kroatië die mensen de grens over helpt. Voor geld. Het fijne kwam ik er niet van te weten, maar volgens mijn zegsman was hij betrouwbaar en had hij een goed slagingspercentage. Het was alleen onmogelijk de stad uit te komen. Ik kon geen vergunning krijgen om het land uit te mogen. Maar ineens was het geluk met me!

Ik was op de terugweg van mijn post in de loopgraaf, toen ik een commandant langs de weg zag staan. Hij was gestrand. Zijn auto had het begeven. Door hem een lift te geven bespaarde ik hem uren wachten, want er kwam amper verkeer langs. Hij was me dan ook reuze dankbaar. Toen ik hem afzette zei hij: "Als ik ooit iets voor je kan doen, dan zeg je het maar. Hier heb je mijn kaartje." Nou, zo'n kans liet ik me natuurlijk niet ontglippen. "U kunt inderdaad iets voor me doen," zei ik dan ook. "Mijn meisje zit in Kroatië. We hebben al een tijdje verkering en ik zou zo graag even bij haar langsgaan. Ze wil niet hierheen komen, want ze is bang voor de bommen en de beschietingen – u weet hoe meisjes zijn. Maar ze wil mij ook dolgraag zien. Dus heb ik een dagvergunning nodig om de grens over te kunnen. Je hebt als man tenslotte je behoeften, oorlog of geen oorlog." Ik schonk hem een vette knipoog. Mannen onder elkaar, dat werk. De commandant was een boerse kerel met dikke vingers en een rood drankhoofd, en ik wist dat hij dat wel zou kunnen waarderen. Hij begon te lachen, amechtig hijgend. "Vertel mij wat! Geen probleem. Daar zorg ik voor. Kom morgenmiddag bij me langs, op dit adres. Dan gaan we samen iets drinken." Hij maakte een drinkgebaar, met zijn duim naar zijn mond wijzend.

De volgende dag ging ik naar het adres dat op het kaartje stond. Daarvoor had ik het nummer gebeld van die man in Kroatië, op dat eiland. Ik belde hem mobiel, op zo'n toestel waar die klootzakken van een profiteurs woekerwinsten mee maken. In dit geval was het iemand die ik kende. We hadden samen op school gezeten. Het was altijd al een klootzak geweest. Maar goed, ik belde die man op het eiland, en het was in orde. "Akkoord. Kom zodra je kunt. Ik ben de hele week hier. Dan heb ik de medicijnen voor je klaarstaan." Hij sprak in code. Ik moest erom lachen, maar in zekere zin was het ook een soort "medicijn" dat hij voor me had. Een medicijn dat mijn leven zou redden als het me lukte te ontsnappen. Ik had van de zenuwen niets anders weten uit te brengen dan "Hallo, meneer Kokičevič". Die naam was trouwens ook een code. "Ik ben een vriend van Stjepan." En toen antwoordde hij meteen met die gecodeerde boodschap.

Toen ik de volgende dag bij het kantoor van de commandant kwam, trilde ik over mijn hele lichaam. Ik was ervan overtuigd dat er iets fout zou gaan. Dat het hem niet zou lukken. Of dat hij het was vergeten. Er was zo veel wat verkeerd kon lopen. Ik zweette als een pakpaard, het water stond in mijn handen. Toen ik binnenkwam, omhelsde hij me en klopte me op de schouder. Hij schonk een glas *rakija* voor me in. Ik sloeg het in één teug achterover, dankbaar voor het respijt. Hij schonk nog een glas in. "Zo mag ik het zien!" zei hij toen ik ook dat achteroversloeg. "Hoe heet dat vriendinnetje van je?" "O, eh, Maria." Het was de eerste naam die me te binnen schoot, de naam van de Heilige Maagd. "Ze woont in de buurt van Split. Een geweldige meid. Misschien ga ik na de oorlog wel met haar trouwen." En ik stelde me voor hoe "mijn" Maria eruitzag. "Ze heeft lang, donker haar, prachtige ogen, en zulke borsten!" verzon ik. Hij knikte. "En wat ben je allemaal van plan wanneer je bij haar bent?" Hij vroeg me het hemd van het lijf, alsof hij zeker wilde weten dat ik echt een vriendin had. Wat natuurlijk niet zo was. Maar het kostte me geen enkele moeite haar te verzinnen, en daar genoot ik zo van dat ik begon te wensen dat ze echt bestond. "Ik heb ook een vrouw gehad," zei hij toen. "Ze is al voor de oorlog gestorven. Ze was een Servische. Ik vraag me af wat ze van deze puinhoop zou hebben gevonden. Ze was weg van Tito en ze stond vierkant achter zijn beleid. 'Koester de broederschap en de eenheid van Joegoslavië als waren ze de appel van je oog,' zei ze altijd. Dat was een uitspraak van de maarschalk. Ze zou nooit hebben geloofd dat een oorlog als deze kon uitbreken. Ik was er kapot van toen ze stierf, maar inmiddels dank ik God op m'n blote knieën dat dit haar bespaard is gebleven." Hij pakte een stuk papier. Het was de vergunning. Die had hij al voor me klaarliggen. Ik bedankte hem en zei dat het me speet van zijn vrouw. Verder wist ik niets te zeggen. Ik wilde weg, zo snel mogelijk. Natuurlijk was het verdrietig wat hij me had verteld, maar ik was nauwelijks meer tot medelijden in staat. Achteraf denk ik dat hij wist dat ik niet van plan was om terug te komen. Net zoals hij wist dat Maria niet bestond. Blijkbaar had hij met me te doen en had hij daarom besloten me te helpen.

Thuis stond mijn tas al gepakt, dus ik hoefde hem alleen maar op te halen en in de auto te stappen. Mijn moeder zat inmiddels in Noorwegen. Afgezien van wat vrienden liet ik niemand achter. Ik had geen tijd om afscheid te nemen. Om er officiëler uit te zien, was ik in uniform. Bij de grens werden me alleen wat routinevragen gesteld, maar eenmaal aan de andere kant moest ik stoppen bij de eerste de beste kroeg, om naar de wc te gaan. Want ik had al dagen diarree. Van de zenuwen. Vier uur later bereikte ik Split, en ik reed rechtstreeks naar de haven. Eenmaal daar bleek dat de veerpont naar het eiland die ochtend al was vertrokken. Ik zou moeten wachten tot de volgende dag. Mijn vergunning was maar vierentwintig uur geldig, dus de volgende ochtend was ik officieel een deserteur. Dat was gevaarlijk, want de politie in Kroatië stond bekend om hun willekeurige controles van identiteitsbewijzen. Als ik werd gepakt, kon ik het verder wel vergeten. Maar ik kon niet meer terug. Dit was mijn kans. Mijn grote kans. Ik sliep in de auto op het parkeerterrein bij de haven, en de volgende morgen ging ik snel naar een kiosk om sigaretten en iets te eten halen, net voordat de boot vertrok.

Terwijl ik ernaartoe liep ontdekte ik twee politiemannen op de kade. Ik zette het op een rennen. Zodra ik aan boord stapte, ging de laadklep omhoog en begon de boot weg te varen van de kade. De politiemannen zagen het gebeuren, maar ik denk dat ze twijfelden. Rende ik zo hard om de boot te halen, of omdat ik iets op mijn kerfstok had? Ze liepen echter door. Waarschijnlijk hadden ze geen zin in alle toestanden wanneer ze de veerboot sommeerden terug te komen.

Het eiland lag er verlaten bij. Terwijl we aanlegden dacht ik eraan hoe het eruit had gezien voor de oorlog. Toen zwierven er oude vrouwtjes rond in de haven die "Kamers te huur" fluisterden, als oude heksen die een bezwering in je oor lispelden en als bijen rond het hoofd van de toeristen zoemden. Nu was er niets meer, er klonk zelfs amper geluid, want voor de krekels was het nog te koud. De lucht, de hemel, de zee, alles was doodstil en door het ontbreken van geluiden was ik overweldigd door de geur van pijnbomen. Het was voor het eerst sinds meer dan een jaar dat ik me vredig en stil voelde, voor het eerst sinds het begin van de oorlog dat ik voldoende ontspannen was om te genieten van de natuur.

Samen met de drie andere passagiers liep ik het grindpad op, en ik vroeg een vrouw naar het huis van meneer

Brkić. Zonder iets te zeggen wees ze naar een wit huis, vlakbij. Ik bedankte haar en ze knikte. Paranoïde als ik was,
wantrouwde ik iedereen, zelfs de zwijgende vrouw op een
eiland waar amper iemand woonde. Ik liep haastig naar het
huis, gretig om de weg achter me te laten. Toen ik aanklop-
te, werd er opengedaan door een oude vrouw.

"Is dit het huis van meneer Brkić?"

"Wie ben je en wat wil je?" Ze had een snor en op haar
kin zat een wrat.

"Ik ben Zlatko en ik heb een paar dagen geleden gebeld.
Ik ben hier voor zaken. Meneer Brkić weet ervan."

Ik probeerde te doen alsof ik wist waar ik het over had en
liet het woord "zaken" gewichtig klinken. Blijkbaar vond ze
me overtuigend genoeg, want ze liet me een donkere zitkamer binnen.

"Hij komt morgenochtend pas terug. Vannacht slaap je
hier. Ik denk dat je morgenavond vertrekt."

Ik bracht de dag door in huize Brkić, voornamelijk met
eten en slapen. De oude vrouw werd geleidelijk aan iets
toeschietelijker en vertelde me wat verhalen over het dorp.
Ze woonde er alleen met haar zoon, meneer Brkić. Ik had
geen idee wat voor iemand hij was, maar het was wel duidelijk dat hij een hoop geld verdiende met zijn handel. Ik
betaalde hem alles wat ik had, plus wat ik had geleend van
mijn oom. Die nacht sliep ik slecht, met het gevoel dat ik
een baksteen in mijn maag had. Bij het krieken van de dag
hoorde ik Brkić thuiskomen, "Morgen, mama", gevolgd
door het geluid van serviesgoed in de keuken. Ik stond op
en ging naar beneden. We zouden inderdaad die avond
vertrekken. Hij had geen papieren voor me, maar hij zou
me in de kofferbak van zijn auto de grens over brengen.
Terwijl hij dat zei, nam hij me schattend op. "Laten we, ver-

domme, hopen dat het past!" Om me gerust te stellen voegde hij eraan toe: "Het zal wel lukken. Vorige maand had ik er twee tegelijk. De kofferbak was aardig vol, maar ze hebben het overleefd." Hij begon te lachen. "En als ze bij de grens de auto doorzoeken?" vroeg ik. "Laat dat maar aan mij over," antwoordde hij.

Ik heb geen idee hoe hij langs de grenswachten weet te komen. Misschien heeft hij iets met ze geregeld. Wie zal het zeggen? Telkens wanneer we een grens naderden, kroop ik in de kofferbak. Soms duurde het een uur, soms twee of drie uur. Dan hoorde ik stemmen, geschreeuw, gefluister, stilte. Het was donker in de kofferbak. Door twee gaatjes kwam lucht binnen – en de stank van uitlaatgassen – en een straaltje licht. Die gaten had hij er zelf in geboord met zijn nieuwe Black & Decker, gekocht van het geld dat hij had verdiend met mensen de grens over helpen. Ik lag met mijn kin op mijn knieën en had amper ruimte om me te verroeren. En terwijl ik daar lag, probeerde ik uit alle macht om te slapen, om niet claustrofobisch te worden, om me niet af te vragen wat minder erg was: de oorlog of dit? De loopgraven of de kofferbak van een auto? Toen hij eindelijk stilhield en het deksel van de kofferbak opendeed, werd ik verblind door het licht. Ik haalde diep en paniekerig adem en stapte weer in de auto. Telkens wanneer ik in de kofferbak lag, was het enige waar ik aan kon denken dat nummer van Billy Ocean, "Get out of my dreams, get into my car". En ik vind dat nummer niet eens leuk.

Zo reden we drie dagen lang, en van de tweeënzeventig uur die de reis duurde, lag ik er vijftien in de kofferbak. Toen hij me uiteindelijk in Rotterdam op de boot naar Hull zette, zei hij: "Nu moet je het verder zelf uitzoeken." Het was een beste kerel, die Brkić. Een echte eilandbewoner, zwijgzaam, gerimpeld als een rozijn, een grote snor. Ik heb hem gevraagd waarom hij het deed. "Het betaalt goed," zei hij. "En het is voor een goeie zaak." Voor de oorlog verdiende hij zijn brood als visser, maar het viel niet mee om met zijn moeder te leven van wat hij verdiende met de vis die hij verkocht in Split. Hij bracht gemiddeld twee keer per maand iemand de grens over, vertelde hij. Maar hij wilde niet zeggen hoe hij langs de grenswachten kwam. En ook niet of er ooit iemand was gestikt in de kofferbak, als het wachten bij de grens te lang duurde.

Eenmaal in het immigratiekantoor in Hull zei ik precies wat Brkić me had geïnstrueerd: "Ik kom uit Bosnië en ik vraag asiel aan." Ik werd naar een kamertje gebracht en urenlang ondervraagd. Toen moest ik het ene formulier na het andere invullen. Terwijl mijn aanvraag in behandeling was, zouden ze zorgen voor onderdak. Ik zit nu in een soort pension. En daar zit ik best.'

Dat voorjaar bleef Zlatko een paar maanden bij ons, tot hij besloot naar Londen te verhuizen en daar werk te zoeken. Terwijl hij bij ons was sliep hij op de bank in de woonkamer, en soms hoorden we hem zachtjes zingen. 'Get out of my dreams, get into my car.'

De hoofdprijs in de loterij

Het gebeurt maar zelden dat vluchtelingen van de ene op de andere dag rijk worden.

De familie K. woonde in Hull naast ons. Ik werkte met hun dochter Maya bij een afhaalrestaurant, voor een paar pond per uur. Zij bakte spareribs en karbonades, ik waste af. In 1995, drie jaar nadat ik in Engeland was gearriveerd, kocht het gezin een hond, op aandringen van Maya. Ik ging langs om naar de puppy te kijken, een wollig diertje met een zacht buikje. De zorg voor het hondje lag volledig bij Maya, zei haar vader. 'Dus dat het niet zo gaat als altijd. Een paar maanden is het leuk, en vervolgens kunnen je moeder en ik ervoor opdraaien! *No way José!*' Maya's vader wiebelde dreigend met zijn vinger voor haar gezicht. Dat laatste Engelse zinnetje had hij net geleerd.

Maya was dolgelukkig met haar labradorpuppy, die er precies zo uitzag als het hondje van de televisiereclame voor wc-papier. Ze probeerde haar hondje ook te leren met een rol pleepapier door het huis te lopen, maar de puppy maakte er alleen maar een chaos van. Een ander soort chaos – en een stuk minder aandoenlijk – dan in de televisiereclame, en daar kon vooral Maya's moeder slecht tegen.

'Ik wist dat we problemen zouden krijgen met een hond! Waarom heb je dat beest ook voor haar gekocht? Ik kan door het hele huis natte proppen wc-papier oprapen!'

mopperde ze met een reeks onvervalste krachttermen. 'In Bosnië is een hond gewoon een hond. Daar zit hij buiten, zoals alle beesten. Die horen niet in huis. Jullie zijn gek geworden in dit land! Jullie allebei! Nog even en die hond is belangrijker dan je eigen moeder!' Mijn moeder had ongeveer hetzelfde gezegd over de kat die we voor de oorlog kortstondig hadden gehad. Toen in februari het paarseizoen begon en de kat vanaf het balkon alle buren wakker schreeuwde met haar krolse gejammer, moesten we haar wegdoen.

Maar Maya en haar vader waren dol op de hond. Ze gingen elke dag met hem wandelen in het park, tot de goudblonde puppy zo moe was dat ze hem naar huis moesten dragen. Soms ging ik ook mee, en dan renden we met ons drieën met de hond. Hij heette Pero. Het was een naam die Maya en ik samen hadden bedacht, een combinatie van *perro*, het Spaanse woord voor hond, en een ouderwetse Joegoslavische naam. Ik was dol op Pero's kleine warme lijfje, ik vond het heerlijk om te voelen hoe snel zijn hartje sloeg, om zijn zachte dikke buikje bij elke ademhaling op en neer te zien gaan. Wanneer hij sliep hield Maya soms een spiegel onder zijn natte neus, om zeker te weten dat hij nog ademde. Haar moeder sloeg haar heimelijk gade en herinnerde zich dat ze bij Maya hetzelfde had gedaan toen ze nog maar een paar dagen oud was.

Tijdens hun wandelingen speelden Maya en haar vader altijd in de loterij. Ik deed niet mee, want ik vond de loterij arrogant en misleidend, omdat de indruk werd gewekt dat met een miljoen pond al je problemen waren opgelost. Bovendien was ik bang dat als ik won, ik in één keer al mijn geluk had opgebruikt. Maya's vader zei dat hij liever geld had dan geluk, en misschien had hij gelijk. Geluk is betrekkelijk, maar dat is geld ook. Maya's vader speelde altijd met dezelfde cijfercombinatie, getallen waarmee hij thuis ook al twintig jaar had gespeeld. Maya koos willekeurige getallen. Ze probeerde haar vader zover te krijgen om ook eens iets anders in te vullen, want zijn vaste getallen hadden hem duidelijk geen geluk gebracht. Maar hij weigerde. Als hij nu veranderde en de jackpot viel in de toekomst op zijn oude cijfercombinatie, dan zou hij zich van kant maken, zei hij. Dat vond Maya een beetje ver gaan, maar ze begreep zijn redenering en had met haar vader te doen vanwege de ongelukkige situatie waarin hij verkeerde. Wat het extra moeilijk maakte, was dat hij weigerde vaker dan eens per week te spelen, dus hij kon ook niet 'stiekem' een keertje iets anders proberen. Terwijl haar vader in de bewuste week automatisch zijn getallen aankruiste, liet Maya haar blik door de winkel gaan. Op een pak vijgenkoekjes stond een prijskaartje van 1,99 pond. Maya was dol op vijgenkoekjes, dus ze vinkte het cijfer 19 aan. Op een potje vitamine C stond het cijfer 1000. Vitamine C was goed voor je, dacht ze, en ze vinkte het cijfer tien aan. De puppy lag op de toonbank van het loterijkantoor slaperig uit het raam te kijken. Maya's blik viel op de geruite halsband die ze de dag tevoren had gekocht, compleet met een zilveren penning met daarin zijn registratienummer, voor het – vreselijke – geval dat hij ooit zoek mocht raken. Als laatste getallen op haar loterijbriefje vulde ze het registratienummer in. Toen gingen ze naar huis.

Maya vond het allemaal erg spannend, maar ze moest die avond werken, en daardoor miste ze het programma waarin de lottoballetjes in de doorzichtige plastic buisjes vielen en de winnende getallen onthulden. Ze had me verteld dat ze die dag meespeelde, en tijdens onze pauze bedachten we wat voor krankzinnigs we allemaal met het geld zouden doen als ze won. Dat deed Maya trouwens elke zaterdagavond, en ik deed vrolijk mee. Privévliegtuigen en grote huizen met een zwembad stonden hoog op onze lijst. Toen Maya tegen middernacht de laatste aluminium schaal met spareribs had voorzien van een wit kartonnen deksel en de zilverkleurige hoeken daaromheen had gevouwen, waste ze haar handen en hing haar schort op, klaar om naar huis te gaan. Ik deed mijn dikke rubberhandschoenen uit, nog glinsterend van het sop, en samen verlieten we de helder verlichte, ongezellige keuken. We waren moe en overlegden of we tot de volgende dag zouden wachten met haren wassen, ook al vonden we het afschuwelijk om te gaan slapen in de stank van kokende olie en barbecuesaus. Maya vroeg zich af of die geur in onze neusgaten zat of dat onze haren er echt naar stonken. Druk in gesprek over dit soort afhaalrestaurantproblemen, stapten we in bus 23. Eenmaal bij onze halte aangekomen liepen we de acht stappen naar Maya's voordeur en namen afscheid. Terwijl ik doorliep, hoorde ik Maya de voordeur opendoen, waarop Pero haar heftig kwispelstaartend begroette en zijn neusje tegen haar schoenen duwde. Ik zag dat ze hem liefkozend optilde en hem haar gezicht liet likken. Even verlangde ik naar een eigen hondje, maar ik wist dat ik niet geschikt was voor een huisdier, dus ik zou het moeten doen met Pero als surrogaatknuffel.

Thuisgekomen ging ik voor de televisie zitten. Dat deed ik altijd na mijn werk. Het was een moment van ontspanning, en bovendien wilde ik het nieuws zien. Ik wist dat Maya hetzelfde deed, alleen controleerde zij eerst de lottocijfers. Later vertelde ze dat haar vader beneden was gekomen en had gezegd: 'Laten we eens kijken of we al miljonair zijn.' Daarop controleerden ze de getallen: 10 op hun briefje – 10 op de televisie; 19 op hun briefje – 19 op de televisie; 7 op hun briefje – 7 op de televisie. En zo ging het door tot het laatste getal. Ze kwamen allemaal overeen.

'Pap, alles klopt!' zei Maya.

'Laat eens zien.' Haar vader trok het briefje uit haar hand. 'Waag het niet me te belazeren.'

Maya's vader vergeleek de getallen minstens tien keer en toen slaakte hij zo'n harde kreet dat hij Pero de stuipen op het lijf joeg. Dat was het moment waarop Maya mij belde. 'Kom eens hier! Nu meteen!' Ik haastte me naar de buren, in de veronderstelling dat er iemand dood was. Eenmaal binnen bleek het hele gezin door de kamer te dansen. 'We zijn miljonair!' riepen ze uitzinnig. 'Vluchteling en miljonair!'

Maya stopte met haar baantje bij het afhaalrestaurant. Het gezin kocht een bescheiden huis in Londen, vlak bij hun familie, met een tuin waarin Pero kon rondrennen. En ze vertelden aan niemand dat ze de loterij hadden gewonnen. Maya ging naar een goede school, en af en toe schreven we elkaar. Ik schreef dat ik haar miste wanneer ik aan de afwas stond, en ik hield haar op de hoogte van de roddels in Hull. Zij vertelde dat haar vader een zeilboot had gekocht en witte autohandschoenen. Die deden hem aan president Tito denken, had hij gezegd. Maya's moeder investeerde in aandelen en diamanten ringen, die ze nooit droeg uit angst te worden beroofd. Bovendien was ze bang dat haar vriendinnen argwaan zouden krijgen.

Ik speel nog altijd niet mee in de loterij.

Onderweg

In de zomer en met Kerstmis was iedereen altijd op reis. Iedereen, behalve ik. En behalve de andere vluchtelingen natuurlijk. Mijn paspoort – klein en grijs, de kleur van een paspoort voor minderjarigen – lag nutteloos, want afkomstig uit een land dat niet langer bestond, in een la, bedolven door vergeelde papieren en aanvraagformulieren, en genegeerd door de ambtenaren in Lunar House in Croydon, waar de Britse immigratiedienst is gevestigd. Terwijl mijn internationale vrienden een voor een vertrokken voor bezoeken aan hun ouders of om ergens aan de Middellandse Zee of in het Verre Oosten op het strand te gaan liggen, probeerde ik me mijn paspoort voor de geest te halen. Er stond een foto in van mij toen ik dertien was en het adres waar ik het grootste deel van mijn leven had gewoond, maar dat voelde nu zo ver weg dat het net zo goed nooit had kunnen bestaan. Alles op dat paspoort was nutteloos, veranderd of simpelweg verdwenen.

Als kind was ik dolblij met mijn fiets. Ik maakte altijd lange ritten in mijn eentje, langs de rivier, helemaal naar een meer waar ik kon zwemmen. Mijn moeder wist niet dat ik zo ver weg ging, of dat ik over de hoofdweg fietste, tot ik op een dag een lekke band kreeg en naar huis moest bellen. 'Je moet beloven dat je niet boos wordt,' zei ik tegen mijn moeder. Dat beloofde ze. 'Ik heb een lekke band.' 'O.

Oké,' zei ze. 'Waar ben je?' 'Langs de rivier. Bij het meer.' 'Bij het meer?!' schreeuwde ze. 'Je bent boos,' zei ik. 'Natuurlijk ben ik boos, verdorie! Je hebt over de hoofdweg gefietst! Je had wel dood kunnen zijn!' Mijn vader kwam me halen, en thuis, in de badkamer, plakten we de band. We dompelden hem onder, op zoek naar luchtbellen die de plek van het lek verrieden.

In Hull had ik mijn toevlucht genomen tot liften of meerijden met vrienden, en ik probeerde ook geld te sparen voor de bus of de trein. Het land kon ik niet uit, dus ik reisde door heel Engeland, als een bal in een flipperkast, heen en weer over de ingesleten paden, zonder ooit over de rand te springen.

Samen met een Franse vriendin liftte ik naar het Lake District. Omdat we als de dood waren dat we zouden worden meegenomen door een moordzuchtige maniak, hadden we allebei een spuitbus deodorant in onze tas, die we behalve voor onze oksels ook voor eventuele belagers konden gebruiken. Gelukkig waren het altijd aardige mensen die ons meenamen. Ik herinnerde me een verhaal uit een brief van mijn moeder. Ze ging van Mostar naar het dorp waar mijn grootmoeder woonde. Het was maar twintig minuten rijden, en de meeste mensen die de stad uit gingen kwamen erlangs. Mijn moeder had geen auto, en de bus was erg laat, dus toen ze een auto zag aankomen stak ze haar hand op. De auto stopte, een grote wagen met vierwielaandrijving, ongewoon luxe voor Mostar in die tijd. Toen mijn moeder door het raampje naar binnen keek, zag ze een van de belangrijkste plaatselijke krijgsheren achter het stuur zitten, met een brede grins op zijn gezicht. Ze peinsde er niet over om in te stappen, dus ze stamelde dat ze alleen maar haar armen had willen strekken; dat het niet haar bedoeling was geweest hem aan te houden. Het was het enige excuus dat ze kon bedenken, zei ze. De man deed er niet moeilijk over en reed door.

Ik ging een vriendin opzoeken in Wolverhampton, een stad die zo somber oogt dat Hull daarmee vergeleken een toonbeeld van schoonheid is.

Tegen de tijd dat ik opnieuw wat geld had gespaard ging ik op reis met Lila, een meisje uit Bosnië dat ik een paar maanden eerder had ontmoet en dat onmiddellijk een van mijn beste vriendinnen was geworden. Lila en ik kochten altijd goedkope sigaretten bij Tesco. Ik kan me het merk niet meer herinneren, maar ze waren lang, dun en zwart – als in een film uit de jaren tachtig. De helft van de sigaretten in het pakje was altijd kapot (dat was waarschijnlijk de reden dat ze goedkoop waren), dus we wikkelden er witte vloeitjes omheen, als een soort verband. Dat bedierf natuurlijk wel de indruk van wereldwijze, elegante vrouwen die we wilden maken. Lila en ik reisden naar Londen en reden met de bus en de trein de hele stad door. Soms kochten we een treinkaartje, soms verstopten we ons in de wc tot het station waar we eruit moesten. We namen de trein naar Brighton, gingen op het strand zitten en aten krab en friet, die we kochten in de kleine tentjes aan zee. We liftten naar Whitstable en droomden ervan een van de talloze kleine strandhuisjes te bezitten die in allerlei kleuren op het winderige strand stonden.

Tijdens ons bezoek aan Londen schuilden we op Covent Garden Piazza voor de regen. Naast ons stond een lange jongen van onze leeftijd met rood haar en een T-shirt met daarop I AM THE WALRUS. Lila zei dat ze hem leuk vond, dus we liepen naar hem toe met onze zwart-witte sigaretten, omwikkeld met vloei, en vroegen hem om een vuurtje. Vervolgens leverden we commentaar op het weer. 'Ik ben Lila.' 'Ik ben Vesna.' We schudden hem de hand. 'Michael,' zei hij met een Amerikaans accent. We kletsten wat onder de druipende balken tot het ophield met regenen. Toen gingen we ergens een kop koffie halen. Michael zat in zijn tussenjaar – een concept dat me volslagen onbekend was – en had amper bagage, maar wat me is bijgebleven is dat hij een fles zeep had waarmee hij zijn haren, zijn lijf en zijn kleren waste en waarmee hij bovendien ook nog de afwas deed. We brachten die hele avond door in de 100 Club aan Oxford Street, waar mijn vriend Nenad werkte als schoonmaker. Behalve Nenad, die de vloer dweilde terwijl Lila en Michael flirtten en op de piano pingelden, was er niemand. Ik vermaakte me met het draaien van de platen die achter de bar lagen.

Ik ging naar Birmingham, Leeds, Newcastle, Bath, Bristol en diverse kleine stadjes waarvan ik me de namen niet meer kan herinneren, samen met mijn vriend Salvatore, die voor zijn werk het hele land door reisde om farmaceutische producten aan de man te brengen. Hij was goed gezelschap. Onderweg, van de ene afspraak naar de andere, zaten we te zingen in de auto, en terwijl hij zijn besprekingen voerde zwierf ik door de stadjes. Dan zocht ik een leuke tent op om 's avonds te gaan eten, en daarna reden we terug naar Hull. Het voelde goed om in beweging te zijn, om een reisdoel te hebben.

Spice

Nadat ik er een paar maanden had gewerkt stopte ik bij het afhaalrestaurant. Ik verafschuwde de geur van vet die opsteeg van de zwartgeblakerde pannen, de treurige aanblik van spareribs in een goedkoop aluminium schaaltje, overgoten met barbecuesaus. Het was me gelukt mijn droombaan te vinden, in een videotheek die Spice heette. Spice was niet zomaar een videotheek, maar had films uit de hele wereld op voorraad, gemaakt door beroemde en onbekende onafhankelijke regisseurs, Franse klassiekers en producties van mensen met voor mij totaal onbekende namen. Ik kreeg erg weinig betaald, maar dat kon me niet schelen.

Ik wist de baan te bemachtigen dankzij Sebastian, de vriend van mijn zus, die een hartstochtelijk wietroker was. Net als ik waren Sebastian en mijn zus dol op films, en we hadden ons net bij Spice als klant laten inschrijven toen Sebastian in gesprek raakte met Archie, de eigenaar, over een bepaald soort wiet dat Archie het liefst rookte. Ik heb geen idee hoe ze daarop kwamen, maar een paar minuten later zaten Archie en Sebastian achter in de winkel stoned te worden. Ik ging erbij zitten maar rookte niet mee, want mijn brein was te zwak en te star om met drugs overweg te kunnen. Ik vroeg Archie of ze nog personeel nodig hadden. 'Nou, nu je het zegt, we hebben inderdaad iemand nodig,' luidde het antwoord. Ik kon de volgende dag beginnen.

Spice was maar heel klein, met een provisorische toonbank, een computer en een televisie in een hoek aan de muur. Het was er bijna altijd rustig, dus ik had alle tijd om films te kijken – van Krzysztof Kieślowsky, Hall Hartley, Zhang Yimou, Truffaut, Godard (die ik nooit heb begrepen), John Cassavetes en talloze anderen. Wanneer mijn werk erop zat deed ik de lichten uit, ik sloot af en bleef achter de toonbank zitten om naar de televisie aan de muur te kijken. Voor mijn gevoel had ik een nieuw universum ontdekt en ik stelde me voor dat ik leefde in de wereld van de films waar ik naar keek, zoals Mia Farrow in *The Purple Rose of Cairo*.

Spice had ook een voorraadje boeken en strips, en ik maakte er kennis met Robert Crumb en las voor het eerst Kerouac en Ginsberg. Archie had een geweldige smaak als het ging om films en boeken, maar hij vertelde te veel smerige moppen, en onder zijn zijdelingse blikken voelde ik me vaak slecht op mijn gemak.

Een zekere George was mede-eigenaar van Spice en tevens Archies huisgenoot. George was een zachtmoedig type, met een grote bril. Hij leed aan een spierziekte, waardoor hij in een rolstoel zat. Onder de toonbank bewaarde hij een honkbalknuppel. Ik moest vooral niet aarzelen die te gebruiken als ik me bedreigd voelde, zei George. Ik heb er een keer mee gezwaaid toen een stelletje pubers probeerde er met de kassa vandoor te gaan. Ze sloegen prompt op de vlucht. Ik weet niet wat er zou zijn gebeurd als ze dat niet hadden gedaan.

De clientèle bestond voornamelijk uit leerlingen van de kunstacademie. Nadat ik hun een film had aangeraden, waren er verschillende die me mee uit vroegen. Zoals Zoltan, een grafisch ontwerper van Hongaarse afkomst, die afwisselend jaloers en ruimhartig was en wiens sombere, melancholieke stemmingen ik maar moeilijk kon verdragen. Ik flirtte zelfs met een leraar van de academie, die elke zondag films kwam halen, met zijn jack russell op een kussentje in zijn fietsmand. En ik had een tijdje iets met Jim, een boomlange trompetspeler die beroemd had kunnen worden als hij niet uit zijn eigen band was gestapt die later zeer succesvol werd. Hij had een gezicht als een karikatuur en een zwaarbehaarde borst en hij genoot ervan me te verrassen door uit de struiken voor ons huis te springen wanneer ik thuiskwam. We hadden veel plezier samen en ik vond het heerlijk om naar de wekelijkse jamsessies te gaan in een plaatselijke bar, waar Jim ultrakorte trompetsolo's speelde, gevolgd door een stoet aan Fellini-achtige figuren die dachten dat ze de moeite van het bekijken en het aanhoren waard waren. Nadat Jim uit Hull was vertrokken om carrière te maken, volgde Paul die ooit, dronken en in het holst van de nacht, op de vensterbank van mijn kamer op de tweede verdieping klom en schreeuwde: 'Engeland heeft verloren!' (Het duurde maanden voordat ik was bijgekomen van de schrik.) Hij kwam ook met het plan om me op Valentijnsdag in een gestolen auto mee te nemen naar Whitby, maar daar wilde ik niets van weten.

In die tijd kwam Lila ook een paar keer langs. Dan zaten we uren in Spice films te kijken en met klanten te kletsen. We fietsten heel wat af – zoals iedereen in de stad – en ik werd erg bedreven in de aanschaf van fietsen die niemand zou willen stelen. Met als gevolg dat ik op een fiets zat zonder remmen. Om te stoppen moest ik allebei mijn voeten naast het voorwiel op de grond zetten. Ondanks dat probeerde iemand toch ooit mijn fiets te stelen, maar wie het ook was, liet hem zo'n veertig meter verderop weer staan, tegen een muur.

's Avonds gingen we naar Spiders, een club aan de rand van de stad, waar ze wodkashots verkochten voor vijftig penny en halve liters bier voor een pond. De hele studentengemeenschap van Hull kwam in Spiders, samen met het oorspronkelijke gothic publiek dat de club frequenteerde. De muziek was verschrikkelijk, het interieur afschuwelijk, vol met namaakspinnenwebben, maar dat kon niemand ook maar iets schelen. Wanneer ik in de ochtendschemering naar huis fietste, terwijl de hemel geleidelijk aan licht begon te worden, voelde ik me oprecht gelukkig. Ik was twintig en ik werkte aan mijn A levels op Hull College. Mijn status was nog altijd onduidelijk, en als ik niet officieel tot vluchteling zou worden verklaard, zou ik een fortuin moeten betalen om naar de universiteit te kunnen. Maar ik had geen haast. Voor mijn gevoel was Hull mijn ware leerschool.

Alles bij elkaar bestond Spice maar een jaar. Na de eerste zes maanden van het korte bestaan van de videotheek kreeg Archie een verhouding met Alice, een breekbaar ogende Noorse schone. Ik sloot vriendschap met haar, en ze vertelde me over haar tweelingzus, in Noorwegen. Alice gaf Noorse les in Hull en Annie, haar zus, deed hetzelfde op een school in Noorwegen. Volgens Alice wilden ze allebei altijd hetzelfde, maar er waren in hun kleine stadje in Noorwegen simpelweg niet genoeg banen. Vandaar dat Alice had besloten haar geluk elders te beproeven en naar Engeland was gekomen. Na enige tijd trok ze bij Archie in. Toen ze op een dag in de videotheek haar arm optilde om me iets aan te wijzen, ontdekte ik een blauwe plek net boven haar elleboog. 'O, ik ben van de trap gevallen,' zei ze op mijn vraag wat er was gebeurd. Een paar weken later had ze een blauwe plek in de vorm van Afrika op haar wang, en

George vertelde dat Archie haar sloeg. Hij had het eerst alleen maar gehoord, vanuit zijn slaapkamer, maar uiteindelijk had hij het op een avond met eigen ogen gezien. Daarop had hij met Archie gepraat – die blijkbaar een kwade dronk over zich had, iets waarvoor hij zich diep schaamde zodra hij weer nuchter was – en gezegd dat hij ermee moest stoppen. George had zelfs gedreigd de politie te bellen als het weer gebeurde, en Archie had beloofd dat het de laatste keer was geweest. Maar het gebeurde toch weer, op momenten dat George niet thuis was. Met een paar vriendinnen nam ik Alice mee om een kop koffie te gaan drinken. We vertelden haar dat we wisten dat Archie haar sloeg. Ik weet niet of het juist was wat we deden, of dat we ons bemoeiden met iets wat ons niet aanging. Tenslotte was Archie mijn baas. Alice barstte in tranen uit en vroeg ons haar zuster te bellen, waarop Annie een vliegticket voor haar boekte naar huis. Een paar dagen later vertrok Alice uit Hull. Voorgoed.

Op de dag dat Alice verdween, kwam Archie schreeuwend en tierend Spice binnen stormen. 'Waar is ze?' Ik was bezig videobanden op de plank te zetten en George was verdiept in de boekhouding. Na ons gesprek was ik er niet van overtuigd geweest dat Alice inderdaad zou vertrekken, maar ik was blij te horen dat ze haar poot stijf had gehouden. 'Hoor eens, Archie, we weten allemaal dat je haar sloeg,' zei ik. Na een lange stilte, waarin ik doorging met het ordenen van videobanden die al netjes stonden, en waarin George onverstoorbaar doorschreef, liet Archie zich op een van de stoelen voor klanten vallen en begon te snikken. 'We zijn failliet,' zei George. Hij haalde wat geld uit de kassa en reed de deur uit, gevolgd door Archie.

Toen Archie de volgende morgen binnenkwam, zei hij

dat hij besefte dat het verschrikkelijk was wat hij had gedaan. Maar hij hield van Alice. Blijkbaar had hij de vorige avond haar zuster gebeld in Noorwegen en met Alice gesproken. Ze was boos en ze wilde hem nooit meer zien, had ze gezegd, maar hij had haar een en andermaal bezworen dat het hem speet, en toen was ze een beetje bijgedraaid. 'Ik zou het je nooit vergeven als het mij gebeurde. Ik zou ook nooit iets met je zijn begonnen. En als jij – of welke man dan ook – ooit zou proberen me te slaan, zou ik je vermoorden in je slaap.' Ik zei het heel rustig, maar Archie begon opnieuw te huilen. Er kwamen klanten binnen, maar die maakten haastig rechtsomkeert. Archie vertrok naar huis, en daarna heb ik hem nooit meer gezien.

De volgende dag vertrok hij met al het geld van hem en George (blijkbaar hadden ze wat apart gelegd om hun schulden af te betalen) naar Noorwegen. Hij smeerde 'm in het holst van de nacht, met achterlating van een briefje voor George: 'Het spijt me, ik hou van Alice. PS: ik heb het geld meegenomen. Sorry. Archie.' Alice stuurde me een paar maanden later een kaart uit Noorwegen. Ze was heel gelukkig met Archie. Hij was een ander mens. Daarna duurde het niet lang of Spice ging dicht. We haalden de planken van de muren en pakten de videobanden in kartonnen dozen. Buiten nam de wind verdwaalde flyers mee:
TWEE VOOR DE PRIJS VAN EEN!

De schoonheidskoningin

Ik had me opgegeven als tolk bij het vluchtelingenbureau in Hull, en op een ochtend kreeg ik een telefoontje met het verzoek om te komen. Er was een nieuwe groep uit Bosnië gearriveerd. Ik moest vertalen voor Anka, een al wat oudere vrouw die net was aangekomen met de veerboot uit Holland. De groep was vijf dagen eerder uit Bosnië vertrokken, en het duizelde iedereen van uitputting na de lange reis, met als afsluiting een nacht op de ruwe wateren van de Noordzee. Naast mij waren er nog vijf vrijwilligers die vertaalden, en we luisterden naar de gruwelijkste verhalen over verdwijningen, moord en marteling – een groot deel van de groep was afkomstig uit het gebied rond Srebrenica. Anka was alleen gekomen. Voordat ze het land had kunnen verlaten, had ze zes maanden in een vluchtelingenkamp gezeten. Ze zat ineengedoken op haar stoel, starend naar de dampende kop thee die voor haar op de tafel stond, en vertelde met een zachte, schuwe stem.

'De tenten stonden op velden die ooit groen waren geweest en strekten zich kilometers ver uit. Het gras werd afgewisseld met kleine modderpoelen of plekken zand, afhankelijk van het weer. We sliepen met z'n tienen in een tent. Mannen en vrouwen apart. De vrouwen hadden de kinderen bij zich.

's Zomers was het verstikkend heet in de nylon tenten,

en 's winters sliepen we dicht tegen elkaar aan om warm te blijven. Elke ochtend kwamen er mensen uit het kamp – telkens anderen – brood brengen en hete koffie voor het ontbijt. 's Avonds stonden we in de rij voor het eten: soep en groenten, of macaroni met kaas. Ik sliep in een tent met een gezin van negen. Omdat ik alleen was, hadden ze me daarbij gestopt. We werden bijna familie voor elkaar. Maar ze vertrokken eerder dan ik, naar Zweden, in een konvooi met alleen maar gezinnen.

In 1950, vijf jaar na de Tweede Wereldoorlog, was ik de schoonheidskoningin van mijn dorp. We waren arm, maar gelukkig. Er heerste optimisme. Als deze oorlog ooit eindigt, is er niets anders dan ellende. Toen hadden we nog idealen. We hadden iets om voor – en tegen – te vechten. We waren samen een. We hadden een leider en het leek erop dat we een toekomst hadden. Ik leerde lezen en schrijven en ik kon een baan krijgen als ik dat wilde. Maar ik verdiende mijn geld liever met het winnen van schoonheidswedstrijden.'

Als je je ogen op een kiertje dichtkneep, zodat je oogleden trilden, kon je je voorstellen dat Anka vroeger een schoonheid moest zijn geweest. Ze had nog altijd lang haar en ze stiftte haar lippen. Trouwens, je hoefde geen moeite te doen om je voor te stellen hoe ze er als jonge vrouw had uitgezien, want ze had een boekje bij zich met foto's en knipsels uit de plaatselijke krant. Op die foto's stond ze met een trotse blik op haar gezicht, haar blonde haar hoog opgestoken, haar ogen zwaar opgemaakt, een pruilende trek om haar mond. Het badpak dat ze droeg was een bescheiden, bijna preuts model uit de jaren vijftig. Het bleke been dat ze naar voren zette, was altijd licht gebogen.

'Ik kon het niet geloven toen ze bij me aan de deur kwamen. Jonge jongens, gewapend en in uniform. Ik had nooit gedacht dat iemand mij zou lastigvallen. Tenslotte was ik een beroemdheid in het dorp. Iedereen kende mijn naam: Anka Vulic. Iedereen wist waar ik woonde. Dus toen er hard op mijn deur werd gebonsd, vroeg ik me geërgerd af wie er zo onbeleefd was. "Anka, doe open!" werd er geroepen. Maar ik keek door het kijkgaatje en herkende een van de twee jongens die voor mijn deur stonden. Het was de zoon van de slager, een eindje verder langs de weg. Ik deed de deur op een kiertje open, met de ketting erop. "Jongens, wat willen jullie?" vroeg ik. En toen trapten ze de deur in. Ik was zo bang dat ik amper lucht kreeg.'

Ze begon te huilen en ik probeerde haar te troosten.

'Toen ze eenmaal binnen waren vroeg ik opnieuw wat ze wilden. Ze stormden het hele huis door en vernielden alles wat ze tegenkwamen. "Goud, Anka! We willen goud!" riepen ze, en ze gingen door met de borden kapotgooien die ik in een vitrine had staan. Porseleinen borden die ik jaren geleden, in 1973, in Moskou had gekocht. Ze gooiden tafels omver en keken in mijn sieradenkistjes. Al mijn juwelen hebben ze meegenomen. Twee jongens met geweren. Zomaar. Mijn buren hadden me een paar dagen eerder nog gewaarschuwd. "Anka, je moet bij je dochter gaan wonen. In een tijd als deze is het niet goed om alleen te zijn." Ik weigerde. Ik dacht dat iedereen me kende; dat niemand een oude vrouw zoals ik kwaad zou doen. Maar dit is een nieuwe generatie. Ik haalde het schilderij van Jezus van de muur en verstopte het onder mijn kamerjas. Het was nog van mijn moeder geweest. Het enige in huis wat echt waarde voor me had. En ik heb het weten te redden.'

Later ontdekte ik dat ze het portret van Jezus – beschadigd, gescheurd, een van de ogen uitgekrabd – onder haar kussen bewaarde, zoals criminelen dat doen met hun pistool. Elke avond voordat ze ging slapen, bad ze voor het schilderij.

'Die jongens, dat waren beesten. Zoals ik al zei, kende ik een van de twee. Zijn vader was slager, en voor de oorlog kocht ik mijn vlees altijd bij hem. Maar toen kwam er een andere slagerij, in dezelfde straat. Een betere zaak. De vloer was schoon, de slager was altijd beleefd en vriendelijk, en op de een of andere manier leek een kilo bij hem altijd meer dan bij de oude Branko. In Branko's slagerij stikte het altijd van de vliegen, en het rook er ook niet echt lekker. Bovendien zweette hij altijd als een pakpaard en veegde hij zijn voorhoofd af aan de rand van zijn bloederige schort. Nee, het was er niet prettig. De nieuwe slager kwam uit Slovenië en je weet hoe ze daar zijn, een beetje zoals de Duitsers. Alles even netjes, elke dag een schoon schort, en het leek wel alsof hij er nooit bloedvlekken op kreeg. Dus iedereen ging voortaan zijn vlees halen bij de Sloveniër en de oude Branko moest zijn zaak sluiten. Hij had nog een handjevol trouwe klanten, mannen met wie hij ook altijd in de kroeg zat, maar die hadden geen geld en hij gaf hun lamskoteletten en kippenvleugels op de pof. Branko maakte er een gewoonte van om voor zijn winkel te gaan staan, met de stinkende karkassen aan de haken achter hem, en dan schreeuwde hij: "Wacht maar af, stelletje klootzakken! Ooit komt de dag, dan zal ik jullie laten zien wie de oude Branko is. Dan zal ik jullie bewijzen dat ik een uitstekende slager ben." Dat soort dingen. Iedereen dacht dat hij gek was geworden. Zelfs de dronkaards kwamen niet meer naar zijn slagerij, omdat ze de stank niet konden verdragen. Toen de beschietingen begonnen, rende de oude Branko de straat op met zijn vleesmessen. "Nu is het mijn beurt!" schreeuwde hij. "Ik snij jullie allemaal kapot, en dan verkoop ik jullie vlees!" Maar voordat hij iemand kwaad kon doen, werd hij getroffen door granaatscherven. Ik dacht dat zijn zoon zijn verstand had verloren door alle toestanden met zijn vader.

Die dag, toen ze bij me thuis kwamen, stalen ze al mijn sieraden, en wat ze niet stalen, maakten ze kapot. "Niet huilen, oma," zeiden ze toen ze weggingen. "Wees blij dat we je strot niet hebben doorgesneden. Maar de volgende keer heb je misschien niet zo veel geluk." Ze lachten erbij en ze hadden geen enkel medelijden met een bange, huilende oude vrouw. Die avond lag ik verstijfd in bed, met het schilderij van Jezus onder mijn kamerjas, vurig biddend dat die jongens niet terug zouden komen. Via vrienden had ik een boodschap gestuurd naar mijn dochter, zodat ze wist wat er was gebeurd, maar het werd al donker, en tijdens spertijd mocht niemand de straat op. Mijn dochter kwam meteen de volgende morgen. Ze had gehoord dat de zoon van de oude Branko aan het plunderen en stelen was geslagen. Het hele dorp moest eraan geloven. Waarschijnlijk viel er in de winkels niets meer te plunderen, en dus gingen ze naar de huizen van de mensen, zei ze. Toen heeft ze me naar het kamp gestuurd. Zelf wilde ze het dorp niet uit. Haar man zat in het leger, en ze wilde hem niet alleen laten. Ik wou dat ik terug kon naar mijn dorp. Naar mijn dochter en haar man. Naar mijn eigen huis.'

Anka begon weer te huilen en was niet meer tot bedaren te brengen.

Sindsdien ging ik elke week een paar keer bij haar langs. En als ze van streek was of zich eenzaam voelde, vroeg ik: 'Laat me de foto's nog eens zien van toen je schoonheids- koningin was! En vertel nog eens over die eerste wedstrijd,

toen je dat kleine hondje won, met dat mooie riempje.'
Dan sloeg ik het boekje met de foto's open en keek naar dat
meisje van achttien, met een klein hondje in haar armen,
en wanneer ze dan begon te vertellen, werd het snikken geleidelijk aan minder.

Eindelijk vluchteling

Mijn zuster kreeg de vluchtelingenstatus en vertrok dankzij een uitwisselingsprogramma van studenten voor een jaar naar Italië. Haar vriend ging terug naar Kroatië, en ik betrok een zolderappartement met één slaapkamer in een oud gebouw dat net zo scheef hing als de toren van Pisa. De bevriende dj die er had gewoond, had een verzameling platen achtergelaten. Helaas kon ik ze niet draaien, want ik had geen platenspeler. Ik schilderde de muren 'korenveld-geel' en 'azuurblauw' en zette mijn koffiekopjes op de zwaaiende tafel die aan het schuine plafond hing en die de dj had gemaakt. Ik luisterde in die periode veel naar Laurie Anderson, en ik genoot van haar dwaze teksten zoals 'De zon lijkt op een groot, kaal hoofd' of 'De hemel is hemelsblauw'. Ik had ook een kat, een dik wit beest dat ik te leen had van een vriendin die op pelgrimstocht was, omdat ik dacht dat ik in mijn slaapkamer muizen had horen ritselen. Het was een lieve kat, ook al leed hij aan onstuitbare aanvallen van energie, waarbij hij als een kogel van de azuurblauwe woonkamer naar de korenveldgele keuken schoot.

Ik vond het heerlijk om 's avonds laat met een deken over mijn knieën en de kat op schoot voor de gashaard te zitten. Lezend of luisterend naar Laurie Anderson. Er kwamen voortdurend vrienden langs, en ook al had ik maar heel weinig geld, ik was gelukkig. Het enige probleem was dat ik in mijn laatste jaar voor de A levels zat en me inmiddels had aangemeld bij diverse universiteiten, maar dat ik in de bijna vier jaar dat ik hier nu was, nog steeds niets van Binnenlandse Zaken had gehoord. Ik maakte me zorgen dat ik na de zomer niet zou kunnen gaan studeren. Een vriend raadde me aan de hulp in te roepen van mijn plaatselijke parlementslid.

De eerste keer dat ik bij het parlementslid langsging, zat er een Lenin-speldje op mijn bloes. Dat droeg ik zoals andere mensen een T-shirt dragen met Che Guevara of voorzitter Mao, als versiering of omdat het 'cool' was, ook al was me natuurlijk met de paplepel ingegoten om respect te hebben voor het werk en de ideeën van kameraad Lenin. Het kantoor van het parlementslid was verrassend gewoon: een bureau bedekt met papieren, in de hoeken nog meer stapels papieren, als wankele zuilen. Aan de muur hingen familiefoto's en diploma's. Ik had verwacht dat het kantoor van een overheidsfunctionaris in Engeland er deftiger, imposanter zou uitzien, met verguld meubilair en foto's van de koningin, of op z'n minst van John Major. Thuis hing de leider van het land in elk kantoor aan de muur.

Het parlementslid was een zware man van middelbare leeftijd. Hij begroette me beleefd en vroeg wat hij voor me kon doen. Ik zag dat hij ondertussen steelse blikken wierp op mijn Lenin-speldje. Hij was van de Labourpartij, wist ik, dus ik dacht dat hij bewonderend naar de speld van rood emaille keek waarop Lenins profiel door een – onzichtbare – stralende zon werd beschenen. Ik vertelde hem dat er geen schot zat in mijn officiële status, dat ik me zorgen maakte over mijn aanmeldingen voor de universiteit, en ik vroeg of hij Binnenlandse Zaken wilde schrijven om te informeren naar mijn dossier. Hij wilde me met alle plezier helpen, en hij beloofde dat hij me binnen een paar maanden uitsluitsel zou kunnen geven. Vervuld van nieuwe moed schudde ik hem de hand, en ik vroeg hem of hij mijn speld mooi vond. Want die wilde ik hem geven, als dank voor het feit dat hij me wilde helpen. Het parlementslid schudde zijn hoofd. 'Ik begrijp niet hoe je bewondering kunt hebben voor zo'n man. Hij is verantwoordelijk geweest voor zo veel doden, zo veel onderdrukking.' Ik wist niet waar hij het over had. In de jaren dat ik op school had gezeten, was Lenin voortdurend geciteerd. Zijn uitspraak 'Leren, leren en niets dan leren' stond gedrukt op de eerste bladzijde van al onze leerboeken. Toen ik voor een tweede keer naar het parlementslid ging, had ik mijn speld niet op.

Rond diezelfde tijd ging ik bij Bonnie's werken, een klein restaurant in het oude centrum van Hull, het enige deel van de stad dat de blitzkrieg had overleefd. Het was een buurt van straten met kinderhoofdjes, met daarlangs huizen in victoriaanse stijl, maar het voelde als een schilderachtige oase te midden van de anonieme rijtjeshuizen van na de oorlog waarmee de rest van de stad was volgebouwd. Ik stelde me voor dat Hull er van boven af uitzag als een oude, sjofele legpuzzel, verbleekt en verschoten op een uitbarsting van kleur in het midden na, waar de oude stad lag.

Ik werkte bij Bonnie's als afwashulp en deelde de keuken met de eigenaar, Brian, die tevens de chef-kok was, en Katrin, een Duits meisje dat als keukenhulp in de hiërarchie van de horeca weliswaar een treetje hoger stond dan de afwashulp, maar dat vurig met me wedijverde. Als ik tegen het eind van de avond de werkbladen schoonmaakte, schuurde zij het fornuis en de oven, en ze kroop zelfs onder de kasten. Vervolgens besloot ik dat we ook alle andere plekken moesten schoonmaken die niet meteen in het zicht lagen, en het slot van het liedje was dat we zowel de keuken als het restaurant tot in de kleinste hoeken en gaten onderhanden namen. Brian vroeg zich verbaasd af hoe hij aan zulke harde werkers kwam! Op een dag vertelde een vriendin van me die bevriend was met een vriendin van Katrin (de gebruikelijke ingewikkelde paden via welke roddels zich verspreiden) dat Katrin dacht dat ik geïnteresseerd was in Mick, haar vriendje, omdat ik altijd vroeg: 'Hoe gaat het met Mick?' De reden dat ik dat deed, was echter dat ik niets anders wist te zeggen, want ik voelde me bij haar niet op mijn gemak. Maar vanaf die dag vroeg ik alleen nog 'Hoe gaat het met je?' wanneer ik Katrin zag.

Heimelijk was ik smoorverliefd op Brian, de eigenaar van Bonnie's. Brian had een vriendin, maar die reisde een jaar lang de wereld rond, en hij was haar schandelijk ontrouw. Een lange man, met weerbarstige krullen en een zachtmoedig gezicht. De dikke vesten die hij droeg, maakten hem in mijn ogen alleen maar aantrekkelijker. Ik vond alles aan hem geweldig: de manier waarop hij rookte, praatte, grappen maakte; maar ook hoe hij hakte, bakte, kookte en pocheerde. Hij zong tijdens het koken, en ik snakte ernaar die vrolijkheid altijd om me heen te hebben, niet alleen wanneer ik boven een gootsteen vol dampende vaat stond. De verzamelband van *The Worst Songs in the World* die hij soms in het restaurant draaide, vond ik helemaal het einde. Wanneer de avond erop zat, ging al het personeel met Brian mee naar huis, of we gingen naar Spiders, en bleven daar tot het licht werd. Elke ochtend wanneer ik ging slapen, droomde ik van Brian en hoe gelukkig we zouden zijn samen, met *The Worst Songs in The World* als de soundtrack van ons leven. Maar ik besefte heel goed dat de weg naar Brian niet alleen werd versperd door het reusachtige obstakel in de persoon van zijn vriendin, maar ook omdat hij in amoureus opzicht hoegenaamd niet in me geïnteresseerd was.

Jaren later, toen ik al niet meer in Hull woonde maar er een keer naartoe ging om wat mensen op te zoeken, kwam ik Brian tegen op straat. Terwijl we stonden te praten, viel er een stapeltje tijdschriften uit zijn tas. Ik bukte om ze op te rapen en zag op een van de covers een masturberende vrouw met lange, roodgelakte nagels. Brian zette haastig zijn zwarte suède schoen op het tijdschrift. We voelden ons allebei slecht op ons gemak en prevelden een haastige smoes dat we de andere kant uit moesten.

Na ontelbare afgewassen en afgedroogde borden bij Bonnie's en na diverse brieven van het parlementslid aan Binnenlandse Zaken, ontving ik een envelop met het logo van de immigratie- en naturalisatiedienst. Het was herfst 1996, de kat was bezig zijn zomervacht te verliezen en het hele appartement zat onder de haren. Ik was hard op weg een stofzuigobsessie te ontwikkelen, maar het mocht niet baten. Op de ochtend dat de brief kwam, werd het geluid van de bel overstemd door het geloei van de stofzuiger, maar de postbode hield vol. Ten slotte rende ik naar beneden, en toen ik de deur opendeed, stond hij tegen de bel geleund, rusteloos een tandenstoker van zijn ene naar zijn andere mondhoek bewegend. Ik keek hem vragend aan. 'Miss Maric?' Hij glimlachte. Aan zijn accent te horen vermoedde ik dat hij uit Polen kwam. Hij sprak mijn achternaam uit zoals het hoorde. 'Maarietsj'. 'Ja, dat ben ik.' Hij overhandigde me de envelop. 'Van Hare Majesteit de Koningin!' Hij drukte me een stuk papier in handen waarop ik mijn naam zette met daaronder mijn handtekening. 'Prettige dag verder!' groette hij, en ik bedankte hem.

Ik liep met de brief de trap op, ijselijk voorzichtig alsof hij elk moment kon ontploffen, zorgvuldig om hem niet te beschadigen. Eenmaal boven zette ik koffie, toen ging ik op de bank zitten. De rook van mijn sigaret kringelde omhoog, de brief lag op de hangende tafel, nog altijd onschuldig in zijn witte envelop. Ik zette de kat naast me op de bank, want ik wilde genieten van de laatste momenten van mijn leven zoals het was. Wat er ook in die brief stond, alles zou gaan veranderen, besefte ik. De universiteiten waarvoor ik me had aangemeld, stonden in Londen en Glasgow. Maar als mijn asielaanvraag was afgewezen zou ik terug moeten naar Bosnië. Ondanks de heimwee en de eenzaamheid waarmee ik al die jaren was blijven worstelen, joeg het vooruitzicht weer in Bosnië te wonen me angst aan. De kat zat in al zijn gebruikelijke onverstoorbaarheid naast me. Ik aaide hem over zijn kop, nam een trek van mijn sigaret, een slok koffie, en maakte de envelop open.

Geachte mevrouw Maric,
Het doet ons genoegen u te kunnen mededelen dat u met ingang van september 1996 de status van vluchteling is verleend voor de duur van vier jaar. Daarna bent u gerechtigd een aanvraag in te dienen tot naturalisatie en het verkrijgen van het Britse staatsburgerschap.

Ik las de brief nog een keer, kuste hem en schreeuwde het uit, tot grote schrik van de kat. Ik vloog de trap af, de straat op, naar een van de witte telefooncellen in Hull, en koos het nummer van mijn moeder. 'Mam, met mij! Ik ben vluchteling! Eindelijk!'

Als officiële vluchteling had ik recht op een reisdocument, en dat vroeg ik dan ook onmiddellijk aan. Een paar weken later kreeg ik bericht dat het voor me klaarlag. Het immigratiekantoor in Hull was gevestigd in een klein betonnen gebouw vlak bij de haven. Ik kende het van de paar keer dat ik er had getolkt, en elke keer dat ik erheen ging, midden op het desolate, vervallen industrieterrein met daarachter de zee, dankte ik God dat dit destijds niet mijn eerste indruk van Engeland was geweest. Ik ging naar binnen, zette mijn handtekening en nam een bruine envelop in ontvangst. Er zat een boekje in, net zo groot en met dezelfde vorm als een gewoon paspoort. Op het marineblauwe kaft stond:

Titre de Voyage
Travel Document
1951 United Nations Conventions Relating to
the Status of Refugees

In de rechterbovenhoek stonden twee zwarte strepen, die blijkbaar iets betekenden, ook al heb ik nooit geweten wat. Op de laatste bladzijde stond mijn foto, met daarbij mijn naam, geboorteplaats en het land waar ik verbleef. Het document verklaarde dat Britse ambassades in het buitenland niet verplicht waren me hulp of assistentie te bieden, en ik vroeg me af of Bosnië en Herzegovina al ambassades had – het kostte al moeite genoeg om een regering op poten te krijgen – en wie me zou helpen als ik in de problemen kwam. Ik liep een reisbureau binnen, waar uitbundig verlichte foto's hingen van exotische bestemmingen. Mijn hart begon sneller te slaan toen een van de medewerksters me naar haar bureau wenkte. Ik ging naar huis.

Naar huis

Het is herfst 1996, en je gaat voor het eerst terug naar je vaderland. De oorlog is al meer dan een jaar voorbij, ook al doen zich nog steeds incidenten voor: bomaanslagen, af en toe een ontploffing. Je woont in Hull, dat in de toekomst bij de een of andere onzinverkiezing zal worden verkozen tot de ergste stad om te wonen. Het is iets wat iedereen tegen je zegt, ook al woon je er tegen die tijd al jaren niet meer. Maar jij houdt van die stad. Je hebt je eigen kleine appartement, op de zolder van een oud huis, een veilig toevluchtsoord waar je in later jaren soms nog steeds van droomt wanneer je wilt dat iedereen je met rust laat. De dag van je vertrek prop je je rugzak stampvol, met kleren, handdoeken, boeken.

Die dag komen er twee goede vrienden langs met een bos rozen. Die moet je vanaf de veerboot in het water gooien, zeggen ze. Want dat brengt geluk. Een van de twee raadt je bovendien aan een eetlepel olie in te nemen. Dat brengt ook geluk. Maar je bent zo verstandig die goede raad in de wind te slaan. De twee jongens sjouwen je rugzak naar beneden, zetten hem in de taxi, geven je een dikke zoen op allebei je wangen en gooien met een dreun het portier van de auto dicht. Diep vanbinnen groeit een overweldigend gevoel van bevrijding, en van angst. De reis gaat lang duren, want dat is de enige manier van reizen die je kunt betalen.

De veerboot brengt je van Hull naar Rotterdam (veertien uur). Per bus ga je vervolgens van Amsterdam naar Split (achtentwintig uur), en ten slotte stap je opnieuw in een bus, een traag, stinkend vehikel dat met een slakkengangetje de afstand van Split naar Mostar aflegt (vier uur). Je bent in totaal zesenveertig uur onderweg, maar dat vind je prima, want die tijd gebruik je, sterker nog, die heb je hard nodig om je verengelste huid af te leggen en weer te wennen aan 'het leven op het continent'.

Je stapt uit de taxi, hijst de rugzak op je schouders, en het scheelt niet veel of je valt achterover. Doordat je vrienden hem in de taxi hebben gezet, had je geen idee hoe zwaar je rugzak was toen je daar nog iets aan kon doen. Het is alsof je een tiener met overgewicht op je rug meesjouwt, denk je. En je vraagt je af of je zo'n zware tas wel aankunt. Maar net op het moment dat je overweegt het een en ander weg te gooien, zie je het bord: DO NOT THROW ANYTHING OVER-BOARD. Je krijgt het gevoel dat de veerboot gedachten kan lezen en je vraagt je af of je de bos rozen wel in zee kunt gooien, zoals je vriend heeft gezegd, want ze beginnen je in de weg te zitten. Je zoekt een rustig plekje en slingert de bloemen overboord, snel en onopvallend als een misdadiger, niet zoals je je had voorgesteld, met een groots, ontroerd gebaar om je vrijheid te vieren. Je gaat op zoek naar een plek waar je je rugzak kunt parkeren, en een aardige jongen met krullen helpt je, zegt iets over het gewicht. Je schouders doen pijn, je rug voelt stijf, net als na een lange avond afwassen in het restaurant.

Samen met de jongen met de krullen rook je aan dek een sigaret. Daarna ga je in je eentje op verkenning uit, en je ontdekt dingen waarvan het je verbaast ze op een veerboot aan te treffen: een discobal met spiegeltjes, een karaokemachine, gokapparaten. Het 'zitgedeelte' lijkt op een slechte pub in het noorden, en dat is misschien ook wel de bedoeling, denk je. In het 'buffetgedeelte' kun je *fish and chips* kopen, worstjes en andere dingen waar je helemaal geen trek in hebt. Het eten staat uitgestald in een smoezelige, glazen vitrine, waarin het van onderaf wordt verwarmd. De worstjes liggen tegen het glas gedrukt, als een vettig gezicht. Het wordt avond, en je kijkt naar de verkleurende hemel boven de zee terwijl je vaart langs plaatsen als Grimsby, Goole, Gilberdyke en andere kleine stadjes met deprimerende noordelijke namen. Je luistert naar muziek, je schrijft in je dagboek, en je voelt je gelukkig omdat je onderweg bent, want dat is wat je heerlijk vindt: onderweg, op reis zijn. En het is vooral zo heerlijk omdat je alleen bent, omdat je in je eentje van dat gevoel kunt genieten, zonder dat je met iemand hoeft te praten.

Wanneer het tijd is om te gaan slapen, is het donker en de veerboot deint wild op en neer. Ze zeggen dat de zee 'wat ruw' is vanavond. Je zit in het donker in je stoel en probeert uit alle macht een gevoel van zeeziekte te onderdrukken. Net wanneer je denkt dat het gaat lukken, komt er een groepje jonge kerels het slaapgedeelte binnen. Ze zijn dronken en luidruchtig. Het is gedaan met je concentratie, iedereen om je heen wordt wakker. Je besluit dat je net zo goed over ze heen kunt braken, want tenslotte zijn zij het die de boel verzieken. Ze hebben stoelen naast de jouwe, en dan zeggen ze dingen als: 'Zo hé! Ze hadden me niet verteld dat ik naast een schoonheid zou komen te zitten.' Je voelt je gevleid, maar ook bang, en je doet alsof je slaapt. Gelukkig praten ze niet tegen je. Trouwens, algauw ook niet meer tegen elkaar. Het duurt niet lang of ze vallen in slaap. Net als jij.

De volgende morgen helpt de jongen met de krullen je weer met je rugzak. Hij is aardig en je gaat voor het ontbijt samen met hem aan dek koffiedrinken en een sigaret roken. Je krijgt tranen in je ogen van de wind en de frisse lucht.

Na een kort oponthoud van amper een dag in Holland neem je de bus die om zeven uur 's ochtends uit Amsterdam vertrekt. Iedereen spreekt je taal en je bent helemaal opgewonden. Je zou ze allemaal wel willen omhelzen, alleen al omdat ze jouw taal spreken. Je luistert naar hun simpele gekwebbel, en je voelt je zo mogelijk nog gelukkiger omdat je gewone gesprekken in je eigen taal hoort. De uren van de reis verstrijken terwijl je regelmatig in een diepe, droomloze slaap valt, waarbij je hoofd opzij valt en je nek pijn gaat doen, en dan weer wakker wordt om te eten, te drinken, te roken, te plassen en de vorderingen van de reis te bespreken. In Duitsland komen er opnieuw veel mensen aan boord. Sommige vluchtelingen gaan definitief naar huis, andere gaan alleen terug voor een bezoek. Er is in het bagageruim geen plek meer voor hun spullen, verpakt in grote, nylon tassen, dus die moeten ze mee de bus in nemen, met als gevolg dat ze opgepropt in hun stoel zitten. Het zijn voornamelijk oude mensen, blij dat ze weer naar huis gaan, ook al hebben velen van hen helemaal geen huis meer. Je vraagt wat hun plannen zijn, en ze vertellen over hun familie, over programma's van de Verenigde Naties, over hun huis dat ze gaan herbouwen. Je hoort dat er voornamelijk kerken en moskeeën worden gebouwd en dat huizen niet zo'n hoge prioriteit hebben. Degenen die alleen maar teruggaan voor familiebezoek, proberen de grenswachten zover te krijgen dat die hun paspoort niet afstempelen, zodat ze tegenover de Duitse autoriteiten achteraf geen verklaring hoeven af te leggen over hun blijkbaar illegale reis. Ze hebben het over een uitkering, bijstand. De grenswachten stempelen hun paspoorten niet af.

Er wordt eten gedeeld, er worden verhalen verteld, er wordt gelachen om grappen, en wanneer je zegt dat je in Engeland woont worden de lippen getuit. 'Ai, ik heb gehoord dat de immigratiedienst daar niet voor de poes is.' Je lacht erom en wilt er niet over praten. Je wilt niet eens aan je vluchtelingenstatus dénken. In plaats daarvan wil je ervan genieten dat je onder je eigen mensen bent, mensen die jouw taal spreken. Je wilt alles wat je achterlaat vergeten en je onderdompelen in je Bosnische identiteit.

Alle grensovergangen worden in het holst van de nacht gepasseerd. Je staat buiten de bus, die op zijn beurt in een hele rij met bussen staat, iedereen wiebelt van de ene voet op de andere om warm te blijven. Er wordt gerookt en er klinken opmerkingen als: 'Die klote-Oostenrijkers. Dat doen ze nou altijd.' Of: 'Die klote-Sloveniërs. Dat doen ze altijd. Ze willen lid worden van de EU, dus ze doen alsof ze nooit iets met ons te maken hebben gehad.' De grenswachten dragen uniformen en kijken ernstig, en je denkt terug aan de Joegoslavische autoriteiten die nooit lachten en er altijd zo woest mogelijk probeerden uit te zien. En dan denk je aan de Britse politie. Die is lang niet zo intimiderend, want ongewapend.

Rond vier uur 's nachts rijdt de bus Kroatië binnen. Het voelt als het mooiste moment van je leven. De lucht is diep paarsblauw, een ronde maan hangt aan de hemel, de zee weerspiegelt het witte licht in kleine rimpelingen. Dit deel van de kust vind je het mooist, waar kleine, kale eilanden als bolletjes kwik op het water drijven. Om tien uur 's ochtends rijdt de bus het station van Split binnen, en wanneer de deur opengaat, vermengt de geur van de zee zich met die van vis, koffie, verkeer. Je snuift, neemt alles aandachtig in je op, je onderscheidt de verschillende geuren en geniet van elke geur afzonderlijk, ook al werd je er vroeger altijd misselijk van. Je pakt je loodzware rugzak, sleept hem naar het eerste het beste tafeltje en bestelt een espresso. Het is warm, de zon schijnt, de hemel is een eindeloze, blauwe uitgestrektheid die onzichtbaar overgaat in de zee. Je nipt van je koffie, en wanneer je die ophebt, neem je er nog een, en nog een. Je begint licht in je hoofd te worden van de cafeïne, en het verdoofde, uitgeputte gevoel van de reis valt weg tegen de achtergrond. Je wast je gezicht boven de wastafel in de kleine, benauwde, witbetegelde toiletruimte waar het naar urine stinkt. Je laat je rugzak achter in een kiosk van witte kunststof, waar een oudere vrouw er voor een klein beetje geld op wil passen. Heimelijk hoop je dat iemand hem steelt, maar die kans is klein. Niemand wil zo'n zware, goedkoop ogende rugzak hebben. Je loopt de drukke, volle straten door, tussen kraampjes met sieraden en souvenirs, naar het postkantoor. Daar koop je een telefoonkaart.

'Hallo mama,' zeg je in de gaatjes van de plastic hoorn.

'Lieverd! Je bent er! Hoe is het met je? Hoe was je reis?' Je moeder is euforisch en je bent gelukkig omdat je aan haar stem hoort dat ze zo gelukkig is.

Dan kies je nog een nummer. Van een van je beste vriendinnen, die niet weet dat je komt. Je loopt terug naar het station om in de bus naar huis te stappen, bestormd door herinneringen door alles wat je om je heen ziet, rusteloos van ongeduld om naar huis te gaan. In gedachten hoor je nog steeds de stem van je moeder en van je vriendin, je haalt de gesprekken terug in je herinnering, je afvragend hoe je klonk, hoe zij jouw stem hebben ervaren, en of zij ook al die tijd aan jou hebben gedacht.

Je hebt van anderen gehoord dat de stad onherkenbaar is geworden: voor honderd procent beschadigd, wat blijkbaar betekent dat elk gebouw schade heeft opgelopen. De oude brug is weg, huizen zijn weg, straten zijn veranderd in puinhopen. Maar daar wil je niet aan denken, nog niet. De bus zwoegt de kronkelende weg af naar het dal waarin je stad ligt. Tot dusverre ziet alles er nog hetzelfde uit. Maar dat heb je ook gehoord. 'Wanneer je komt aanrijden, ziet het er allemaal nog precies hetzelfde uit. Dan is er niets te zien van de aangerichte schade.' Twee oude vrouwen vragen hoe lang je weg bent geweest. Vier jaar, zeg je, en ze knikken meelevend. 'Het viel hier niet mee, kindje. Het is maar goed dat je er niet was,' zegt een van hen. Je bent het met haar eens. De bus houdt stil bij de tweede stop in de stad, jouw stop, en je ziet dat je moeder al reikhalzend staat te wachten. Je stapt uit, met je rugzak, en je valt haar om de hals. Je omhelst elkaar alsof je leven ervan afhangt, je drukt elkaar fijn in een poging om zo veel mogelijk troost aan elkaar te ontlenen, om in elkaar op te gaan. Dan loop je de straat uit, naar huis, en plotseling doe je een onverwachte ontdekking: alles ziet er ineens zo veel kleiner uit. De straten lijken smaller, de huizen gekrompen, en je beseft dat je bent gegroeid. Het valt niet mee om vat te krijgen op de tijd die is verstreken. In je herinnering is alles sinds je vertrek bevroren, maar ineens blijkt het allemaal te zijn veranderd.

Je gaat het gebouw binnen waar je woonde. De graffiti is er nog. Je ziet je naam tientallen keren op de muur gekrabbeld, in een kinderlijk handschrift. De naam van je buurjongen staat er ook. VESNA IS VERLIEFD OP SRDJAN lees je. En METALLICA, uit de tijd dat je buurjongen alleen maar heavy metal draaide. Je hart gaat tekeer, net als het hartje van de kleine vogel die iemand ooit had gevangen en je liet vasthouden. De angst van het beestje sloeg op jou over, en je liet het ontsnappen, met als gevolg dat iedereen boos op je was. Het gebouw zit vol gaten, als gevolg van de beschietingen. Het doet denken aan een gezicht met sproeten. De pruimenboom is er nog, met de tak waarop je samen met de buurtkinderen de wereld van de volwassen geslachtsdelen ontdekte. Als een stel uilen wachtte je met z'n vijven of zessen in de boom, fluisterend, en dan plotseling doodstil, je ogen wijd open, terwijl je een van de buren begluurde die elke avond rond een uur of acht, negen onder de douche ging en die je vaag kon zien door het beslagen raam van de badkamer. Op een avond betrapte hij jullie. 'Weet je moeder dat wel? Als ik haar te pakken krijg neuk ik d'r!' Je viel van schrik uit de boom, een voor een, als kuikens uit het nest, als overrijpe pruimen die op de bruine grond ploften, giechelend vanwege het woord 'neuken', maar ook slecht op je gemak. Je weet nog hoe akelig je je voelde terwijl je het op een lopen zette, hoe naar het voelde dat hij je moeder had genoemd, in combinatie met dat grove woord. Het beeld van zijn naakte lichaam waar je 's avonds in het donker zo vaak naar had gekeken, het beeld van zijn geslachtsdeel... het was ineens niet spannend meer maar bedreigend. Hoe zou het hem zijn vergaan, vraag je je af.

En dan het appartement waar je hebt gewoond, de bel die je vader heeft geïnstalleerd en die tjilpt als een vogel, de spullen, de meubels, het uitzicht vanaf het balkon, de schilderijen, het feit dat je vader ontbreekt, en met hem de geur van alcohol die tot uit zijn poriën kwam. In een van de muren van de slaapkamer zit een gat, waar een granaatscherf is ingeslagen. 'Er was niemand thuis, maar anders waren er doden gevallen,' zegt je moeder. De buurjongen klopt aan de deur, je zoent elkaar, omhelst elkaar, en nog eens, en nog eens. Hij is twee maanden ouder dan jij, dus hij kent je vanaf je geboorte. Je buurjongen, de eerste jongen die je staande zag plassen. Jij wilde het ook proberen en plaste over je eigen voeten. Je beste vriend toen jullie allebei nog klein waren. Vanaf het balkon gooiden jullie vijgen naar voorbijgangers. Die kwamen vervolgens boven om hun gram te halen, maar deinsden terug wanneer je vader opendeed en zijn strengste gezicht opzette – waarna hij ondeugend naar jullie knipoogde. Op je vader en je moeder na kent je buurjongen je het langst, en je bedenkt hoe goed het voelt dat er iemand is die nog weet dat je wisselde en er met de gaten in je gebit uitzag als Dracula. Je bedenkt dat je in Engeland – ook al wil je daar op dit moment niet aan denken – altijd alleen maar dat meisje uit Bosnië bent geweest, een vluchteling, een zielenpoot uit het buitenland: 'Leeft je familie nog?' Alleen een paar vrienden weten dat je meer bent dan een zielige vluchteling, besef je.

Later ga je een eindje wandelen, en terwijl je tussen de puinhopen loopt kun je je niet meer voorstellen dat dit de stad is waar je bent opgegroeid. De straat die de scheidslijn vormde tussen de vechtende partijen, ligt er spookachtig bij, de huizen zijn veranderd in donkere, holle skeletten, als rotte tanden. De ontelbare gaten, geslagen door kogels en granaatscherven, vormen een naargeestig reliëf op de muren. Op de grond liggen munitiehulzen, maar je durft ze niet op te rapen.

Je hebt er zo vaak van gedroomd dat je naar huis ging. Meestal droomde je 's ochtends, vlak voor het wakker worden, dat je in je eigen bed lag, met tegen de muur de gammele, bruine klerenkast waar jasmouwen door de kieren van de deuren steken; dat je buiten het geschreeuw van spelende kinderen hoorde; dat je moeder stond te koken en dat je de hogedrukpan hoorde sissen op het fornuis, terwijl de geur van bonen zich door het huis verspreidde; dat je opstond en dat de zon verblindend in je slaperige ogen scheen. Dan probeerde je uit alle macht de herinneringen, de geur, het licht vast te houden, maar het duurde niet lang of de stilte en het gebrek aan geuren in je kamer verdrongen ze. Je stond op en deed je best om het allemaal weer te vergeten. Maar nu ben je hier, bang dat het toch weer een droom blijkt te zijn wanneer je je ogen opendoet. Tot je in de andere kamer de stem van je moeder hoort. Ze zit aan de telefoon. Je ruikt de geur van koffie en sigaretten. Je doet je ogen open en je weet dat je thuis bent, dat de kamer echt is. Met je voeten zoek je op de tast je oude pantoffels, maar wanneer je ze wilt aantrekken, merk je dat het niet lukt, omdat ze drie maten te klein zijn.

Epiloog:
hoe zij Bill Clinton ontmoetten

De bus naar Sarajevo is een stoffige oude rammelkast. Op de achterbank zit een zigeunerin, van top tot teen getatoeeerd. Ze biedt aan om de andere passagiers de hand te lezen. Haar zoon, die naast haar zit, heeft alleen een tatoeage op zijn knokkels: SMRT, 'dood' in het Servo-Kroatisch. De oude zigeunerin ziet er angstaanjagend uit, alsof ze slecht nieuws in mijn hand zou kunnen lezen. En ik wil geen slecht nieuws. Dat heb ik al genoeg gehad. De bus zwoegt tegen de bergen op, steekt de grens over tussen Herzegovina en Bosnië, langs het ravijn waarin de Neretva stroomt. Het groene water is hier nog kalm, anders dan de woeste stroom die het in Mostar is geworden. De weg naar Bosnië gaat een groot deel van de tijd heuvelopwaarts, en geleidelijk aan maken de kale rotsen van Herzegovina plaats voor groene wouden. Ik zie schapen grazen en denk aan de dierenrechtenactivisten in Engeland, en dat de dieren hier zo vrij zijn en zo goed te eten hebben. Als ik daarover een opmerking maak tegen mijn moeder, zegt ze: 'Alleen de mensen zijn hier niet zo vrij en hebben niet zo goed te eten.' De bus rijdt voortdurend langs ruïnes en uitgebrande, verlaten spookdorpen. Uit de radio klinkt volksmuziek, en sommige passagiers zingen geluidloos mee:

Je hebt me verlaten, wat moet ik doen?
Waarom zeg je niet dat je van me houdt?
Je ogen achtervolgen me in de nacht.
Ik sterf, door de belofte die jij me ooit gaf.

Sommige dingen veranderen nooit.

Het voelt onwezenlijk om Sarajevo binnen te rijden. In Engeland, op het Channel 4 News van de BBC, heb ik de stad gezien, maar niets heeft me kunnen voorbereiden op de verwoestingen die ik aantref. De gebouwen doen me denken aan gebroken skeletten, hun ruggengraat gebogen naar de puinhopen daaronder. Bij het busstation nemen we een taxi naar het huis van mijn tante. Mijn moeder praat met de chauffeur. De straat, geplaveid met kinder-hoofdjes, loopt steil omhoog. Wanneer we het huis nade-ren zie ik dat mijn oom en tante al buiten op ons staan te wachten. Ze zwaaien. In de oorlogsjaren zijn ze in Sarajevo gebleven, ondanks de beschietingen. Hun huis staat nog overeind, maar daar is dan ook alles mee gezegd. Het dak van de badkamer is verdwenen. Er ligt een stuk plastic overheen met daarop UNPROFOR in hemelsblauwe letters. Ze hebben maar een uur of twee per dag stromend water. Dan kunnen ze douchen of de afwas doen. Het moet alle-maal vliegensvlug, om die tijd optimaal te gebruiken. Het balkon van mijn oom en tante kijkt uit op een tuin met een appelboom, en mijn tante vertelt dat ze op dat balkon stond toen er een granaat in de tuin viel. Door de kracht van de ontploffing werd ze tegen de muur gesmeten. En ze was vervolgens vijf dagen haar stem kwijt, totaal in shock. Vijf dagen lang kwam er geen woord over haar lippen, hoe-zeer ze ook haar best deed om te praten. Zij vertelt, ik luis-ter, en ik stel het me voor in een werveling van beelden:

mijn tante op de grond, de groene tuin die in brand staat, mijn tante die probeert om hulp te roepen maar geen geluid kan uitbrengen.

Een van de ergste verhalen komt van mijn neefje, maar hij vertelt het lachend, alsof het een grap is. Hij liep op de markt. Toen hij een stuk vlees tegen zijn oor voelde spatten, dacht hij dat zijn trommelvlies was geknapt. Vlak bij hem liep een vrouw die hevig bloedde en in shock verkeerde. Ze liep verdwaasd in een kringetje rond. Wat mijn broer tegen zijn oor had gevoeld, bleek een stuk van haar lichaam te zijn. Mijn neef vond het een hele opluchting dat zijn trommelvlies nog heel was. Terwijl hij lachend zijn verhaal doet, besef ik dat dit voorval voor hem niets bijzonders meer is; dat hij talloze soortgelijke incidenten heeft meegemaakt. Maar ik heb het gevoel alsof ik nooit meer zal kunnen slapen, bang voor wat ik in mijn dromen zal zien.

Mijn oom en tante zijn dol op koken, en elke dag voor de lunch, wanneer we aan een glas rakija zitten bij wijze van aperitief, komt mijn tante met hetzelfde verhaal. Terwijl ze de zware pan met eten op tafel zet – 'Bosnische groentestoof' – vertelt ze dat ze jarenlang niets te eten hadden. Dat ze afhankelijk waren van voedselpakketten, afkomstig van haar zuster in Oostenrijk. Die stuurde regelmatig levensmiddelen, maar ze kwamen heel vaak niet aan. Ze begint te huilen, en mijn oom begint te huilen, en mijn moeder begint te huilen, en ik zit er zwijgend bij. Dan vertelt mijn oom een verhaal dat grappig is bedoeld – maar het niet is – over de schuilkelder, waarin ze uren zaten te dobbelen. Althans, voor hun gevoel zaten ze er uren, maar elke keer dat ze op hun horloge keken, bleek dat er pas tien minuten of een kwartier was verstreken sinds de keer daarvoor. Ze beginnen allemaal een beetje te grinniken, maar ik krijg geen hap Bosnische groentestoof naar binnen. Door al die verhalen heb ik het gevoel dat er een knoop in mijn maag is gelegd.

Op onze laatste dag in Sarajevo, wanneer mijn tante het eten op tafel zet en weer van wal wil steken, zegt mijn moeder: 'Bewaar dat verhaal maar voor straks, zus. Dat kind van me verhongert. Ze krijgt geen hap door haar keel als wij allemaal zitten te huilen.' Iedereen begint te lachen, en ik voel me in verlegenheid gebracht. Maar ik ben ook blij dat de stemming aan de keukentafel opklaart en de wolken verdwijnen.

Dan vertelt mijn tante met een brede glimlach een ander verhaal. Over die keer dat Bill Clinton naar Sarajevo kwam. ze stonden langs de kant van de weg, zwaaiend met Bosnische en Amerikaanse vlaggen, en ze maakten foto's. 'Hij was zo knap!' zegt ze, en mijn oom, die ober was, vertelt trots dat hij hem mocht bedienen. Ze halen de foto's tevoorschijn, met daarop mijn oom en tante en Bill Clinton in hun midden. Twee door de oorlog getekende Bosniërs aan weerskanten van een weldoorvoede Amerikaanse president, alle drie grijnzend van oor tot oor.

Een woord van dank

Mijn dank gaat, zoals altijd, uit naar Rafael, voor alles; naar mijn moeder; naar Vito, voor zijn cruciale bijdrage als proeflezer. Heel, heel veel dank aan mijn agente, Sarah Such, voor al haar hulp en goede raad, en aan Sara Holloway, voor de geweldige manier waarop ze mijn teksten heeft bewerkt. Dank ook aan Bela Cunha, en aan alle anderen bij Granta, voor hun bijdrage aan dit boek. Aan Gabriel, Lilijan, Adele, Almir, Anita, Žana, Ika Mišo, Nicoline, Adam, James en Paulette, voor al hun steun. En ten slotte mijn eeuwige dank aan de groep uit Cumbrië die in 1992 de moed had naar Kroatië te komen en aan iedereen die me in mijn eerste jaar in Engeland heeft geholpen, me onderdak heeft verleend en me vriendschap heeft geboden. Jullie weten zelf wel wie ik bedoel.